HÁBITOS SALUDABLES

HÁBITOS SALUDABLES

LOS 4 FANTÁSTICOS QUE TE DARÁN ENERGÍA Y VITALIDAD

DANIEL SÁNCHEZ

Amat
editorial

© Daniel Sánchez, 2019
© Profit Editorial I., S.L., 2019
Amat Editorial es un sello editorial de Profit Editorial I., S.L.

Diseño de cubierta: XicArt
Maquetación: XicArt
© Imágenes: Freepik.com

ISBN: 978-84-17208-59-2
Depósito legal: B 1.092-2019
Primera edición: Febrero, 2019
Impreso por: Gráficas Rey
Impreso en España — *Printed in Spain*

ÍNDICE

❖ INTRODUCCIÓN ❖

¿Cuántas veces te has excusado en el destino, en vez de asumir tu responsabilidad? ¿Cuántas veces has huido o no te has enfrentado a una situación que te daba miedo? ¿Cuántas veces has bebido alcohol para olvidarte de algo? Yo muchas.

A los seres humanos nos asusta la realidad y, como consecuencia, no asumimos los problemas y nos esforzamos en camuflar los síntomas (dolores, cambios de humor, miedo, etcétera). Hacemos como los perros cuando se meten debajo de la manta para que nadie los vea y dejan los pies descubiertos por fuera. Ellos no ven a nadie, por lo tanto, ¡nadie los ve a ellos! Esto, que puede parecer una tontería, hace que nuestras acciones no sean tan positivas como deberían y nos alejan de los resultados que esperamos, lo que a su vez nos genera estrés, ansiedad, bajos niveles de energía, desmotivación y a veces incluso depresión. Es decir, los seres humanos nos autoboicoteamos constantemente y esto nos genera sufrimiento. Lo peor de todo es sufrir y no ser consciente de ello, ya que entonces es mucho más difícil salir del bucle, ¿no crees? Por tanto, la primera lección que quiero que aprendas en este libro es **ser consciente de tus acciones, de tus pensamientos, de tus decisiones**, ya que de no ser así será muy complicado que dejes de sufrir y puedas lograr resultados positivos en tu salud.

Todos hemos sufrido alguna vez. Es algo tan natural como la vida misma. Sin embargo, vivir sufriendo ya es otra cosa. Sufrir también sería normal siempre y cuando te diera igual vivir así. Pero empieza a preocuparte si estás demandando a los dioses una vida más saludable y no mueves un dedo para conseguirlo. Es como querer dinero y esperar a que te toque la lotería. Habitualmente queremos cosas, pero esperamos a que la vida nos las proporcione de forma mística, mágica, milagrosa, sin hacer nada:

- queremos más tiempo para hacer deporte, pero no somos capaces de prescindir de los programas de cotilleo de la televisión;

- queremos tener menos hipertensión, pero no estamos dispuestos a alimentarnos mejor;

- queremos que no nos duela la espalda, pero no estamos dispuestos a invertir en un fisioterapeuta, o en fortalecer nuestra espalda en un gimnasio o en un centro de pilates.

En realidad, lo que no queremos es abandonar nuestra zona de confort, que nos mantiene tranquilos y a salvo, y por ello nos excusamos continuamente:

- No tengo tiempo…

- No tengo dinero…

- Ya estoy mayor…

- No estoy preparado…

Lo diré de forma clara para que me entiendas. Todo son excusas que nos alejan de nuestra mejor versión. La realidad es que tenemos otras prioridades u otros hábitos fijos que nos impiden afrontar y abandonar esa zona de confort. Hoy en día lo tenemos todo al alcance de la mano, y sin embargo nos sentimos vacíos, desconectados o, como diría mi madre, "aplatanados". Nos dejamos llevar por la corriente, vivimos con el piloto automático encendido, vamos a rebufo. Vivimos de forma inconsciente. Hemos asumido como normal padecer dolores y enfermedades, y sentirnos cansados, sin energía, fatigados, desmotivados… Déjame decirte que no. Eso no es lo normal. Lo natural es que nuestro cuerpo nos proporcione de forma generosa y altruista gran cantidad de energía, vitalidad, vigor y salud. Lo natural debería ser tener ilusión y pasión, y sentirnos felices y optimistas. Pero en vez de eso, y conforme la esperanza de vida sigue aumentando, el porcentaje de depresiones y suicidios también lo hace.

¿Qué estamos haciendo mal? O, mejor dicho, ¿hay algo que estamos haciendo bien?

En este libro voy a mostrarte todo lo que hacemos mal, para que tengas posibilidad de elegir. Voy a mostrarte otra realidad. ¿Te gustaría conocerla?

Te voy a dar a elegir dos pastillas:

> Si eliges la pastilla roja te enseñaré todo lo que necesitas para mejorar tu calidad de vida y te mostraré todo lo que tienes que hacer para ser el único responsable de tu salud.

> Si eliges la pastilla azul, fin del juego. Despertarás y creerás lo que quieras creer. No te servirá de nada este libro.

Antes de elegir, ¡recuerda! Lo único que te ofrezco es la verdad, nada más.

Elige pastilla ahora... y di tu respuesta en voz alta (sin risas).

¿De qué me suena todo esto? En fin, veo que sigues leyendo. ¡Buena elección! Seguimos.

Seré franco contigo. Tienes el derecho y la obligación de poner a la salud a trabajar para ti, pero para lograrlo, primero tienes que saber qué pasos hay que dar, porque el camino ya lo has elegido. Te recomiendo que no tengas prisa a lo largo de este viaje; si vas a lo loco no lograrás tu meta.

Imagina que tu destino es rescatar tu salud, que está prisionera en un castillo dominado por los malvados y terroríficos Diabético y Obésido. Para llegar al castillo, antes tienes que cruzar un peligroso pantano, habitado por seres que te gritan "¡No lo hagas, no podrás conseguirlo!". Tendrás que saltar el gran muro de los miedos y el desconocimiento, y derribar una inmensa puerta a la que llaman la pequeña vocecita interna. Para ello necesitarás conocimientos, ambición, motivación, una gran actitud y un puñado de materiales, recursos y herramientas.

¡Estás de enhorabuena! Este libro será tu mochila de aventurero, con mapa y brújula incluidos. Te voy a proporcionar los recursos necesarios para que logres recuperar la salud que hayas podido perder y seas capaz de incorporar los mejores hábitos para vivir con las pilas cargadas. Eso sí, no tengas prisa. Mientras sigues leyendo, ve preparando (mentalmente) la mochila, y no te olvides del agua. ¡Estás a punto de partir! Pero antes de iniciar el camino me gustaría que reflexionáramos sobre tu estilo de vida actual. Es la única manera de saber en qué punto de partida exacto te encuentras, por qué camino tienes que ir y, sobre todo, a dónde quieres llegar.

Estate atento, que lo que viene a continuación te interesa. El *lifestyle* ("estilo de vida" en inglés) está muy de moda y hace referencia a la manera en que vive una persona o un grupo de personas. Esto incluye las relaciones, el consumo, las actividades que realiza, la forma de vestir, el trabajo, etcétera. También refleja las actitudes, los valores o la visión del mundo que tenga. En los últimos años, el estilo de vida está siendo muy investigado por la comunidad científica. Según la Organización Mundial de la Salud (OMS), el 60% de los factores relacionados con la salud individual y la calidad de vida se correlacionan con el estilo de vida. Esto significa que el desarrollo de enfermedades como diabetes, hipertensión, obesidad o síndrome metabólico, está estrechamente ligado a un estilo de vida poco saludable. Debemos añadir que estas enfermedades también están muy relacionadas con factores genéticos y ambientales, así como con la edad.

Me gustaría que leyeras la siguiente frase en voz alta (estés donde estés):

Mi estilo de vida tiene una influencia significativa sobre mi salud, tanto física como mental.

Te hago un pequeño resumen. El conjunto de hábitos específicos de tu día a día dan forma a tu estilo de vida (general), que a su vez tiene una incidencia directa sobre la salud (objetivo positivo) o la enfermedad (consecuencia negativa).

- Hábito (algo específico, concreto, tangible, objetivo)
- Estilo de vida (algo general, abstracto, intangible, subjetivo)
- Salud (meta u objetivo básico para disfrutar al 100% de la vida, y lograr resultados)
- Enfermedad (en ocasiones, consecuencia negativa de unos malos hábitos)

En este libro nos vamos a centrar en los hábitos. "Sí, algo intuía por el título del libro", puedes estar pensando. Te enseñaré todo sobre ellos, de manera que entiendas la importancia que tienen y aprendas a incorporarlos para que adquieras toneladas de salud y energía.

Este libro pretende ser una guía completa para que sepas cómo mirar a la cara a tu salud, de cerca y sin miedo. Este libro te va a ayudar a tener más ganas de correr, saltar, sonreír, abrazar, amar, jugar y disfrutar de tus pasiones. En definitiva, te ayudará a tener más momentos de felicidad. Para lograrlo, necesitarás tener la mente abierta y ganas de aprender y de desaprender; de hecho, parte de tu éxito en este camino tendrá relación con tu capacidad de desaprender.

—¿Desaprender? ¿Para qué quiero yo desaprender? ¡Yo no tengo nada que desaprender!

Si quieres mejorar tu salud, crecer y seguir aprendiendo, también tienes que **aprender a desaprender.**

Durante toda nuestra vida, vamos adquiriendo una serie de creencias, pensamientos, acciones y patrones que se automatizan y que te pueden afectar mucho en la edad adulta. De hecho, es probable que ya te estén afectando, pero no eres consciente de ello. Ten en cuenta que todas esas creencias y patrones aprendidos por inercia y repetición pesan y te lastran mucho. Es como si llevaras una maleta pesadísima sin ruedas y con cientos y cientos de discos de hierro; ¿verdad que se ralentizarían tus pasos, te fatigarías y no avanzarías de forma fluida?

Analiza lo que puedes estar llevando a tus espaldas, sin ser consciente de ello:

- Los miedos y las creencias de tus padres
- Los mensajes que se emiten por televisión
- Los complejos de tu época infantil y/o adolescente
- Los mensajes de tu grupo favorito de música

¿Qué significa todo esto? Pues que llega un momento en la vida en que tienes que estar dispuesto a mirar atrás y replantearte tus creencias y patrones automáticos para poder hacer "limpieza".

> «LOS ANALFABETOS DEL SIGLO XXI NO SERÁN
> AQUELLOS QUE NO SEPAN LEER Y ESCRIBIR, SINO
> LOS QUE NO SEPAN DESAPRENDER, APRENDER Y
> REAPRENDER».
>
> HERBERT GERJUOY

Así, y solo así, estarás dispuesto a desaprender y a dejar entrar nuevo conocimiento. Es la única forma de avanzar con éxito hacia el castillo de la salud.

¡Es momento de vaciar la maleta! Piensa en las creencias sin sentido que llevas encima y de las que posiblemente no has sido consciente hasta ahora.

Pregúntate:

➤ ¿Cómo era de niño?

➤ ¿Qué pensaba?

➤ ¿Qué decían los demás de mí? ¿Qué mensajes me daban mis padres?

➤ ¿Qué decía yo de mí mismo? ¿Tímido? ¿Atrevido? ¿Hablador? ¿Reservado?

➤ ¿Era feliz? ¿Tenía seguridad en mí mismo?

➤ ¿Tenía problemas de algún tipo? (sociales, físicos, psicológicos, familiares…)

Anota todo lo que te dé pistas sobre la causa de esas creencias limitantes. Si algo no tiene sentido en tu vida hoy, sácalo de la maleta, desapréndelo…

Por ejemplo, siempre me han dicho que hay que comer de todo, con moderación, y mi alimentación se basa en todo tipo de comida rápida y pocas frutas y verduras. ¡FUERA creencia!

A lo largo del libro te ayudaré a reprogramar tu mente para que tengas otra actitud y otra forma de pensar en relación con los hábitos de vida. Te ayudaré a llevar a cabo rutinas del día a día que transformen tu salud y hagan que te levantes cada mañana con energía, ilusión y optimismo, dando el 120% de ti. No quiero asustarte, pero me voy a meter dentro de ti, de tu casa, de tu trabajo, de tu habitación ¡y de tu vida! Incluso sabré lo que piensas antes de dormir.

—Creo que me he equivocado de libro…

Aprenderás a tomar el control de tu mente para no estresarte y vivir de forma más relajada, y te propondré más de un reto, para que veas por ti mismo cómo puedes lograr lo que te propongas. Comienza ya tu aventura hacia otro nivel de vida con mucha más salud y energía. ¿Tienes ganas?

Empieza tu camino ahora. ¡Yo te acompaño!

ANTES DE LEER ESTE LIBRO

No hay un único camino para llegar a Roma. Todos venimos con fortalezas, debilidades, antecedentes y motivaciones diferentes. Por esto, los desafíos que te encontrarás durante este libro son desafíos a nivel general, sin entrar en individualizaciones, aunque sí pondré ejemplos prácticos. Conforme vayas adentrándote en la lectura, irás conociendo aspectos interesantes sobre ti, que quizás te gusten o quizás no. Este libro no deja de ser un libro de crecimiento personal que tiene como finalidad última la mejora de la salud, tanto física como mental.

Me gustaría que trataras este libro como un manual y que usaras aquello que consideres mejor para ti, como si fuera un recetario. No hace falta que sigas todos los consejos, ni que superes todos los retos, pero sí te vendrá bien conocer todas las posibilidades que te ofrece este libro para saber si hay puntos en los que puedes y tienes que mejorar.

PRIMERA PARTE

TUS HÁBITOS GUÍAN TU VIDA

1

CONOCE TUS HÁBITOS

Dime cuáles son tus hábitos y te diré quién eres

Ya que vamos a pasar juntos un tiempo, voy a sincerarme contigo para que veas que soy alguien totalmente normal que también ha pasado por un proceso. Hace no mucho tiempo, mis hábitos se alejaban bastante de lo que se considera saludable. Me acostaba muy tarde, pasadas las doce de la noche e incluso la una de la mañana; así pues, me levantaba tarde y ya tenía rota la mañana (hablaremos más adelante de la importancia que tiene respetar los ritmos circadianos si quieres gozar de una vida saludable). Como consecuencia de ello, desayunaba tarde y mal.

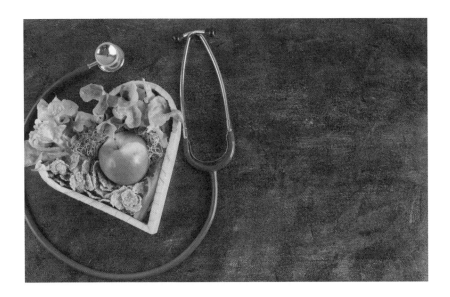

También veía mucho la televisión, y no precisamente programas interesantes que me hicieran pensar, reflexionar y madurar, sino programas vacíos de contenido, puro entretenimiento, que no me aportaban nada bueno, simplemente ausencia de realidad e incluso ausencia de mí mismo. Si haces eso de vez en cuando no pasa nada, el problema surge cuando lo incorporas como hábito, como era mi caso. El consumo de ese tipo de televisión también me situaba en mi zona segura de comodidad. ¿Recuerdas el ejemplo de las pastillas de Matrix? Pues éste sería un ejemplo muy representativo de la película. Ver este tipo de televisión me mantenía tranquilo sin hacerme preguntas, sin hacer ruido, sin mirar dentro de mí, sin pensar quién era y a dónde quería ir...

Como entenderás, lo último que me planteaba en aquella época era rescatar mi salud del castillo, aunque si te digo la verdad, tampoco era consciente de que mi salud estaba presa en ese castillo. ¡No sabía ni que existía un castillo! Pero mi salud era un reflejo de mis hábitos, así que ya te puedes hacer una idea.

Más adelante descubrirás más cosas sobre mis hábitos del pasado. Ten paciencia, no quiero poner todas las cartas sobre la mesa tan pronto.

Quiero que te imagines ahora justo en la entrada de una cueva. Es medianoche, hay luna llena y estás pensando si entrar o no en ella. Esa cueva tiene tu nombre, es tu mundo interior, y dentro, en lo más profundo, se esconden tus hábitos. Te da miedo entrar porque no sabes qué te vas a encontrar. Está oscuro, no se oye nada, pero no hay peligro, nada de lo que hay ahí dentro puede hacerte daño.

Coge una linterna, una manta y algo de comida (saludable, por favor). Yo te acompaño dentro, porque quiero ayudarte a encontrar el trasfondo de tus hábitos.

Mientras llegamos a lo más profundo de la cueva, te pondré en situación. ¿Te parece?

—Vale, pero no te separes mucho de mí, ¡que aquí no se ve nada!

Para introducir o cambiar cualquier cosa en tu vida, antes tienes que entender qué significa, ¿no? Por ello, antes de entrar a destripar los hábitos, tienes que entender algo sobre la salud, ya que al final es el motivo principal por el que estás leyendo este libro.

En busca de la salud

Salud es un término que va más allá de la simple ausencia de enfermedad. De hecho, puedes no estar enfermo, pero sí sentirte cansado, fatigado, falto de energía, desmotivado, triste... La OMS define la salud como un estado de completo bienestar físico, mental y social. Es decir, estar sano es sentirte bien en todos los sentidos.

Imagínate un iceberg. Supongo que sabes que la parte invisible de un iceberg es la más importante. Es la base, la parte más fuerte y compacta, lo que hace que todo el bloque se mantenga a flote. Esa base es tu salud; es invisible, pero si consigues que sea sólida y fuerte, hará que logres muchos resultados en tu vida, que sí serán visibles.

Dice la canción que "tres cosas hay en la vida: salud, dinero y amor". Pero estarás de acuerdo conmigo que, sin salud, no podrás disfrutar del dinero, del amor, ni de nada.

Sin salud, no podrás gozar de tus amigos, de tus hijos o de tus sobrinos, ni de tus hobbies o pasiones. No podrás disfrutar de los pequeños placeres de la vida, ni podrás jugar con tu perro. Sin salud, no podrás subir a lo más alto de la montaña para respirar aire puro y contemplar la inmensidad del universo. Puedes ser multimillonario o tener cien amores, pero si no tienes salud, no le sacarás jugo a la vida. Si no tienes salud, no podrás ser tú al 100%, ni levantarte cada mañana con ilusión y optimismo. En cambio, si gozas de salud, podrás hacer todo lo posible para conseguir más dinero, para buscar el trabajo de tus sueños o el amor de tu vida, o para perseguir cualquier objetivo con todas tus fuerzas.

La salud es el factor clave de tu vida. Es el epicentro de todo. Es el motor de tu coche, los cimientos de tu casa o las raíces de tu planta favorita. Necesitas salud, y la salud te necesita a ti. Sois un equipo, y tenéis que trabajar unidos. ¡Sin salud no hay paraíso!

Y si quieres salud, vas a tener que entenderte y "pelear" con los hábitos.

Hablando de hábitos

Piensa sobre tus hábitos diarios. Estoy convencido de que no sabes cómo, por qué, ni desde cuándo los tienes. Esto ocurre porque un hábito empieza sin que nos demos cuenta, se instala inadvertidamente y cuando queremos librarnos de él ya se ha convertido en una rutina inamovible. A veces los hábitos surgen de un gesto cotidiano, como la sensación de relax que sentimos al llegar a casa y encender la tele. En ocasiones se trata de hábitos inducidos, como usar dentífrico para cepillarse los dientes o utilizar ambientador. Pero, antes de continuar... ¿qué es un hábito?

Estas respuestas automáticas aprendidas se han repetido de forma constante en el tiempo buscando alguna recompensa (satisfacción, bienestar, rendimiento, placer o relax). De hecho, es muy sencillo crear el hábito si el cerebro tiene una experiencia agradable con una acción o rutina concretas. Yo no tardé mucho en crear el hábito de correr por la montaña: me bastaron dos o tres entrenamientos. La emoción que experimentaba cuando estaba en lo más alto era tan fuerte que a mi cerebro no le quedó más remedio que crear el hábito de salir a correr con regularidad por la montaña: naturaleza, medio ambiente, ejercicio, tranquilidad, estar conmigo mismo... es un cóctel lo suficientemente potente como para liberar adrenalina, endorfinas y dopamina. Y eso a mi cerebro le gusta. ¡Y al tuyo también le gustaría, créeme!

Según la ciencia, los hábitos conforman una especie de ruta automática en la mente, motivo por el cual pasan desapercibidos. No necesitas analizar, pensar ni esforzarte para ponerte con el móvil en un rato libre, ¿a qué no? Te sale solo… Tampoco necesitas pensar cuando vas andando si tienes que dar un paso largo o uno corto, o si tienes que mover la pierna derecha o la izquierda. Estas respuestas automáticas son poco exigentes para la mente. Piensa que de esta manera quedan disponibles más recursos cerebrales que permiten concentrarte en otras cosas que requieran más atención y exigencia, como por ejemplo cómo reaccionar si entra un león en tu casa, ansioso de zanahorias o brócoli.

Nuestra conducta tiende a repetirse en la misma ubicación día tras día, lo cual es un claro ejemplo de cómo operan los hábitos. De hecho, más del 45% de tus acciones diarias son hábitos:

Imagina que te levantas todos los días, gracias al despertador que tanto quieres, a la misma hora, día tras día, semana tras semana, mes tras mes. ¿No te ha pasado nunca que no ha sonado el despertador y te has levantado a la misma hora de todos los días? Eso es porque tenías el hábito tan interiorizado que tu cerebro estaba siguiendo un patrón fijo aprendido en el pasado: levantarse por la mañana a la hora exacta.

Ejemplo de hábitos frecuentes son: ver la televisión, hacer ejercicio, escuchar música, leer, tomar café, meditar, lavarse los dientes, fumar, dormir la siesta, criticar, pasear... Más adelante hablaremos de hábitos buenos y hábitos malos, aunque ahora voy a hacer un avance: hazte a la idea de que, en función del uso que hagas de un hábito en concreto y del impacto que tenga en tu salud y/o rendimiento, será un buen o un mal hábito. O, dicho de otra manera, será recomendable o no para ti.

Los consumidores de palomitas

En noviembre de 2011, el investigador David Neal publicó los resultados de un estudio que demuestra la potencia del hábito en la determinación de nuestros comportamientos cuando se dan circunstancias bien definidas. También evidencia lo ilógico que nuestro comportamiento puede parecer como consecuencia de este fenómeno.

En el experimento, se ofrecía una caja de palomitas gratis a un grupo de espectadores cuando entraban al cine. Sin que lo supieran, algunos recibieron palomitas de maíz frescas, mientras que al resto se les ofreció palomitas rancias, concretamente a los espectadores previamente identificados como grandes consumidores habituales de palomitas de maíz en el cine.

Curiosamente, estos últimos espectadores, a pesar de ser muy conscientes del mal sabor de esas palomitas, no fueron capaces de modificar su respuesta habitual, o hábito: en una sala de cine tienes que comer palomitas de maíz, sí o sí.

Para confirmar qué estaba causando este comportamiento, se repitió el experimento en una habitación bien iluminada, con un televisor de pantalla pequeña. En este contexto, el consumidor habitual de palomitas de maíz no comió las palomitas rancias.

Era el contexto del cine (su entorno, sus sonidos específicos, la oscuridad, el sonido envolvente, el entusiasmo de la situación) lo que lograba desencadenar la respuesta automática. El hábito de comer palomitas de maíz no tenía nada que ver con lo gustosas que pudieran estar las palomitas, sino con el hecho de estar en un cine.

Los hábitos controlan tu vida

¿Son los hábitos los que controlan nuestra vida, o nosotros tenemos la capacidad de controlarlos y gestionarlos para usarlos a nuestra conveniencia? Pues bien, digamos que hay dos tipos de personas en este mundo: las que controlan sus hábitos y las que son controladas por sus hábitos. Tú, ¿de qué tipo eres?

—A mí me controlan los hábitos, seguro.

¡No te preocupes! Si bien es cierto que es difícil controlar y gestionar tus hábitos, una vez tomas conciencia, los conoces más de cerca y sabes de qué pie cojean, todo resulta mucho más sencillo. No obstante, el primer paso consiste en tomar conciencia de tus hábitos, y para ello hay que pensar, reflexionar y hacerse preguntas.

Antes de seguir me gustaría saber si te identificas con la situación que te comento a continuación.

Es 31 de diciembre. Estás esperando a que sea la hora de cenar. Piensas, reflexionas, te motivas y te vienes arriba. ¡Es momento de ponerte objetivos para el año nuevo que llega! Sí, claro que te suena. Es la famosa lista de propósitos de año nuevo: te apuntarás al gimnasio, bajarás de peso, comerás de forma saludable y dejarás de fumar. ¡Ahí es nada! Sin embargo, conforme va pasando el año, te haces el sueco y no cumples esos objetivos… Todos esos propósitos se quedan en deseos, sueños e ilusiones pendientes. ¿Por qué pasa esto?

En la mayoría de las ocasiones sabemos lo que tenemos que hacer para estar más sanos. Todo el mundo sabe lo que es importante: hacer ejercicio, comer mejor y descansar bien (entre otras cosas). Entonces, si sabemos lo que nos conviene, ¿por qué no actuamos en consecuencia? ¿Por qué nos cuesta tanto incorporar esos hábitos saludables? Por dos razones principalmente:

1. Crear nuevos hábitos saludables es difícil. Nuestra mente ansía la gratificación instantánea, y buscamos siempre la vía rápida y fácil. Lo tenemos todo a nuestra disposición sin grandes problemas. Si queremos comida, pode-

mos abastecernos sobradamente en los supermercados, los quioscos o las máquinas expendedoras. Para calentar la comida, simplemente la introducimos en el microondas un par minutos. Si queremos jugar a un videojuego, lo descargamos desde nuestro PC, móvil o consola. Lo tenemos todo al alcance de nuestra mano. Es por ello que no estamos acostumbrados al sacrificio que supone introducir hábitos saludables que requieren un cierto esfuerzo.

2. No hay un compromiso real. Si no te comprometes de verdad con la causa, de nada sirve que tengas mucha motivación o fuerza de voluntad. Los propósitos de Año Nuevo son un claro ejemplo de falta de compromiso: es pura motivación efímera, en la que nos venimos muy arriba y luego nos damos de bruces con la realidad.

Los humanos somos animales de costumbres, de hábitos, así que ¡buena noticia! Puedes programar y reprogramar nuevos patrones de conducta que te lleven a lograr diferentes resultados en tu vida. Es decir, puedes llegar a tener el control absoluto sobre tus hábitos, y este libro te va a ayudar no solo a controlarlos, sino también a incorporar los más saludables y vivir así con la mejor salud y la máxima energía.

Entonces, ¿qué me dices? ¿Te apetece tener el control de tu vida y que no sean tus hábitos inconscientes los que te dominen?

—Por supuesto, ¡quiero mandar yo!

Pues si quieres mandar tú, más te vale no ser como el elefante de la siguiente historia.

Un niño fue a una función de circo y vio que tenían a un elefante encadenado por el pie.

—¿Por qué si el elefante es tan fuerte, no se escapa? –le preguntó el niño a su papá.

—*Porque ha sido educado toda su vida así –le respondió su papá.*

Pero el niño, no muy convencido por la respuesta, siguió preguntando a otras personas hasta que encontró la respuesta correcta.

—*El elefante no escapa porque piensa que no puede.*
—*¿Pero cómo un elefante puede llegar a pensar que no puede si sabe lo fuerte que es? –preguntó el niño.*
—*Porque de pequeño el elefante intentó escapar, pero su fuerza no era tanta como para romper la cadena y no lo logró, y si una vez no lo logró, cree que jamás lo logrará, y por eso nunca lo volverá a intentar.*

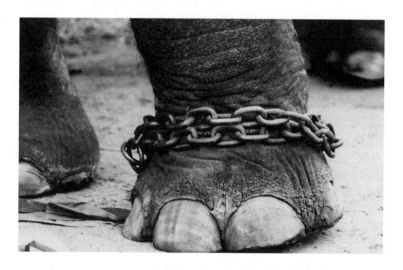

Todos somos un poco como ese elefante de circo. Estamos atados a diferentes cadenas (los hábitos poco saludables), muchas veces sin que seamos conscientes de ello. Quizás alguna vez intentarás escapar, pero si no lo consigues te vendrás abajo y grabarás en el inconsciente el mensaje de que no puedo y nunca podré. Así que, si realmente quieres mejorar tu salud y tener el control de tus acciones, tienes que estar dispuesto a romper la cadena… ¡sea como sea de grande! Y por supuesto, a no rendirte a las primeras de cambio si esa cadena no se rompe.

En este libro te voy a proporcionar todos los trucos y las herramientas para que lo consigas.

Pon música relajante y visualiza tu vida en un día normal. Hazte preguntas, como por ejemplo: ¿a qué hora te acuestas por la noche? ¿Qué haces antes de dormir? ¿A qué hora te levantas por la mañana? ¿Desayunas? ¿Qué desayunas? ¿A qué hora? ¿Qué haces durante el desayuno? ¿Trabajas? ¿A qué hora entras? ¿Qué haces durante el trabajo? ¿Qué conversaciones tienes con tus compañeros? ¿Hablas con ellos? ¿Sobre qué habláis? ¿Qué sueles comer? ¿Tomas postre? ¿Haces ejercicio? ¿A qué hora? ¿Qué tipo de ejercicio? Etcétera.

Del hábito a la adicción

Si una acción determinada te encanta y genera satisfacción inmediata, no constituirá ningún reto para tu mente convertirla en hábito. Es realmente sencillo.

—Sencillez y placer, todo son ventajas ¿no?

La verdad es que no es tan sencillo. Hay veces que nos enfrentamos a problemas mayores, como una adicción. Un hábito, por muy saludable que sea a priori, es un problema si te produce adicción, porque te estará limitando de diferentes maneras:

- Hace que pienses excesivamente en algo en concreto
- Distrae tu atención y consigue que dejes de hacer otras cosas quizá más importantes
- Limita tus objetivos, lo cual no es productivo ni eficiente para ti

- Evita que tengas el control sobre tus acciones y decisiones, ya que te conviertes en dependiente del hábito

Y déjame decirte que hay una delgada línea entre el hábito y la adicción. Así pues, presta mucha atención a lo que te voy a contar.

Por adicción podemos entender cualquier dependencia de sustancias o actividades que son nocivas para la salud o el equilibrio psíquico. La adicción es consecuencia de una desregulación (o un descontrol) en la formación y/o la ejecución de un hábito.

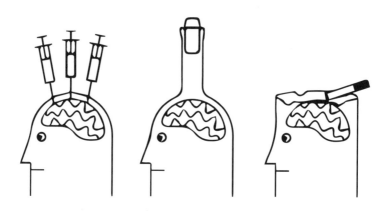

La adicción es un tipo de hábito motivacional en el que el comportamiento es compulsivo y está controlado por un estado emocional. La compulsividad la podemos definir como el impulso o la necesidad urgente de llevar a cabo un acto en concreto.

Normalmente las personas adictas generan un hábito muy intenso de una determinada rutina que les produce placer, y es ese placer lo que les produce la adicción y les hace integrar el hábito en su vida cotidiana de forma compulsiva. Es muy raro que alguien genere una adicción a comer brócoli, levantarse temprano o meditar. El hábito adictivo, por tanto, es más fácil que se dé si viene determinado por alguna sustancia adictiva como cafeína, nicotina, alcohol, cocaína… o por la propia sensación de bienestar que proporciona la rutina en sí misma (liberación de dopamina o adrenalina).

A la hora de tratar la adicción, surgen dos perspectivas diferentes: eliminar o reeducar el hábito. ¿Hay que eliminar el hábito, puesto que es el causante del problema? ¿O hay que centrarse en reestablecer y reeducar ese hábito? Ni lo uno ni lo otro. Según Thurgood y colaboradores, el tratamiento de una adicción debe consistir en una mezcla de eliminación y reeducación, y ambos elementos se consideran de igual importancia en el tratamiento de la adicción para el adicto, su familia y sus amigos.

Toc, toc, ¿quién es?

¿No has sentido alguna vez la necesidad de comprobar varias veces si has cerrado el coche? Una vez que cierras el coche, no contento con ello, vuelves a cerrarlo (por si acaso).

Los TOC (trastornos obsesivos compulsivos) están causados por pensamientos intrusivos, recurrentes y persistentes, que producen ansiedad, inquietud, inseguridad, temor o preocupación, donde las compulsiones van dirigidas a reducir el estado de ansiedad. Este trastorno se considera un desorden mental de orden clínico que afecta a aproximadamente el 2,3% de la población en algún momento de su vida.

La adicción tiene componentes de refuerzo positivo (la búsqueda de una recompensa que añada valor, que proporcione bienestar), mientras que el TOC surge por refuerzo negativo (se busca evitar un problema o tragedia que causaría angustia). De hecho, el TOC puede llegar a limitar hasta tal punto la vida de una persona que la OMS lo considera una enfermedad incapacitante. Ten en cuenta que en los casos más extremos, estas personas pueden estar repitiendo una determinada acción minutos e incluso horas; se sienten atrapadas y son incapaces de controlar el problema. Estos individuos tienen una mayor predisposición a la depresión y a otros trastornos psicológicos, como anorexia, hipocondría y fobias.

La gran mayoría de personas no sufre realmente este trastorno como tal. Todos hemos sentido algo parecido, pero probablemente no a los niveles de convertirse en un problema limitante. Ejemplos más habituales y recurrentes de TOC son los siguientes:

- Necesidad de comprobarlo todo: ¿he dejado encendida la plancha? ¿Y el gas? ¿He cerrado la puerta? ¿He dejado agua al perro? ¿He cerrado el coche? Estas personas son capaces de volver a revisar que todo está en orden una y otra vez (no vaya a ser que…).

- Lavarse las manos: una, dos, tres, cuatro… hasta cinco veces antes de comer o cocinar, una auténtica obsesión. Aquí seré claro: es peor el remedio que la enfermedad. El abuso de jabón no favorece lo más mínimo a las bacterias de tu piel que te protegen. La higiene excesiva es caldo de cultivo para los TOC.

- Simetrías: la búsqueda de la perfección puede alcanzar dimensiones insólitas. Por ejemplo, aquellas personas que al sentarse a comer reordenan la disposición de los cubiertos, buscando que queden a igual distancia del plato. El ejemplo puede extenderse al peinado, las decoraciones de casa…

¿Dónde está entonces el límite entre el deseo natural de hacer ciertas cosas de un modo específico o como una mera costumbre, y estos TOC (o mini-TOC) que deberíamos evitar?

Tratar un TOC no es del todo sencillo. Se requiere mucho compromiso, trabajo mental y fuerza de voluntad. La solución pasa por una técnica de psicoterapia conductual llamada exposición y prevención de respuesta (EPR) que consiste en enseñar a la persona a tolerar la ansiedad que le produce no llevar a cabo sus rituales o enfrentarse a aquello que teme, haciéndole ver que no hay peligro alguno.

Cuando tengas la sensación de estar en pleno trastorno, es importante que te pares, te relajes y pienses: ¿Me está jugando la mente otra mala pasada? ¿Realmente mi miedo es algo real, o por el contrario es infundado? Trata de controlar esos impulsos y con suerte llegará el día que hayan desaparecido y volverás a estar al mando del barco.

¿Hábitos buenos o hábitos malos? Depende

Quiero que pienses en tus hábitos y acciones del día a día. En el cómputo general, ¿crees que son buenos o malos? ¿Te acercan a tus objetivos o te alejan de ellos? ¿Te añaden energía o te restan?

Si bien los hábitos buenos son saludables a priori, pueden llegar a ser hábitos malos, peligrosos o poco recomendables según cómo los pongas en práctica en tu vida. Por ejemplo, hacer ejercicio es un buen hábito, pero si se practica en exceso o se abusa de él puede desencadenar lesiones e incluso enfermedades. ¿Me sigues?

También es importante que entiendas que el estilo de vida y los hábitos son algo muy personal. Hay que mirar y analizar siempre el contexto y el ambiente a nivel individual para valorar si tus hábitos te están ayudando a lograr los resultados que deseas, o todo lo contrario. Una persona que pasa de fumar una caja de cigarrillos al día a la mitad está marchando por el buen camino, a pesar de que sigue fumando, que es un mal hábito. ¿Entiendes? Desayunar a pesar de no tener hambre quizás esté justificado si el individuo tiene hipoglucemia o tendencia a unos bajos niveles de energía; sin embargo, ese desayuno pasaría a ser un mal hábito si estuviera cargado de harinas refinadas, azúcares, sal y potenciadores de sabor, entre otros ingredientes.

¿Has visto que hay una delgada línea entre el hábito sano e insano? Por ello te recomiendo no entrar en generalizaciones, aunque todos sabemos que hay hábitos mejores y hábitos peores que te acercan o te alejan de la salud y de los resultados que deseas cosechar.

Hablando de resultados... Si tu objetivo es levantarte por la mañana temprano para trabajar más horas o para que te dé tiempo a hacer más tareas, ¿crees que el hábito de acostarte tarde a la noche te está ayudando? No. Si tienes como objetivo mejorar tu salud y sentirte con energía, ¿crees que no hacer actividad física y comer comida ultraprocesada te va a ayudar a conseguir ese resultado que deseas? Claro que no. Por ello, es muy importante que analices tus hábitos, conozcas a fondo cómo inviertes tu tiempo, tengas claras tus metas y emprendas las acciones necesarias que te acerquen a tus objetivos. Hay ciertos matices en los hábitos, y por eso hago hincapié en que deben ser algo individual y nunca general. ¡Primero elimina, luego incorpora!

¿Verdad que no se te ocurre fregar directamente el suelo de tu casa si está sucio? Primero coges la escoba y barres, y luego ya le sacas brillo si es necesario. Para que pueda entrar ropa nueva en tu armario, primero tienes que descartar aquellas prendas que ya no uses o estén viejas; si no cabe ropa nueva, tendrías que hacerle un hueco a la fuerza y el resultado será un armario desastroso, caótico, agobiante, desordenado... Lo mismo pasa en tu vida si incorporas hábitos sin eliminar otros. ¿Recuerdas que en la Introducción hablábamos sobre desaprender? Para que pueda entrar nuevo conocimiento, tienes que desaprender y dejar salir conocimientos y creencias erróneas, que limitan y lastran tu progreso.

> **PARA QUE ENTRE LO NUEVO, TIENE QUE SALIR LO VIEJO, LO OBSOLETO, LO ESTANCADO, LO INÚTIL.**

Cuidarte implica incluir en tu vida una serie de hábitos saludables que te permitan vivir con bienestar físico y mental. Sin embargo, es tontería incorporar nuevos hábitos si tienes muchos malos hábitos que te están lastrando. Céntrate primero en eliminar los malos hábitos que tengas y luego incorpora aquellos hábitos que te acercan a tu objetivo, cuya base será siempre la salud: recuerda que la salud es el fundamento de tu edificio. Este fundamento tiene que ser compacto, sólido y seguro para así poder construir encima lo que haga falta. La salud es lo que te va permitir lograr los resultados que deseas en tu vida.

Primero eliminar, luego incorporar. Quédate con esta idea, que al final del libro la retomaremos.

2

TRANSFORMANDO
LOS HÁBITOS

Ya lo has visto: lo normal hoy en día es que vivamos atrapados en nuestros hábitos sin ser conscientes de ello. ¿No te parece triste? Lo más positivo es que tenemos mucho margen de mejora, y tú, leyendo este libro, empezarás a controlar tus hábitos para que te lleven de la mano hacia tus objetivos y hacia la salud.

En este capítulo voy a exponerte de forma más detallada lo que puedes hacer para entender, interpretar y modificar tus hábitos. Descubrirás qué debes hacer para añadir acciones y rutinas saludables a tu vida, y convertirlas en hábitos. Empecemos por algo que estoy seguro que te va a interesar.

Días necesarios para crear un hábito

Te hago la siguiente pregunta: ¿cuántos días crees que hacen falta para interiorizar una nueva rutina y convertirla en un hábito automático?

- Déjame pensar…

- Sigo pensando, espera.

- Mmmm…

- ¡Lo tengo!

- ¡21 días!

Estaba seguro que dirías ese número. De hecho, parece que nos hayan metido en la cabeza el número 21 y lo asociamos directamente a los días necesarios para crear un hábito: 21. ¿Pero te has parado a pensar si esto es verdad o es un mito infundado? Yo sí, y te lo voy a explicar ahora mismo. Veamos de dónde viene esto de los famosos 21 días.

Maxwell Maltz era cirujano plástico en la década de 1950. Notó un patrón extraño en los postoperatorios de sus pacientes al percatarse de que el paciente tardaba 21 días en acostumbrarse a su nueva imagen. Estas experiencias llevaron a Maltz a escribir sobre ello y a concluir lo siguiente:

"Estos y otros muchos fenómenos comúnmente observados tienden a mostrar que se requiere un mínimo de aproximadamente 21 días para que un antiguo comportamiento desaparezca y se cree uno nuevo".

El cirujano publicó un libro titulado Psycho-Cybernetics

(Psico-Cibernética)*, que se convirtió en un* best seller *del que se vendieron más de 30 millones de copias.*

Poco a poco se fue desvirtuando el mensaje y acabó desapareciendo la palabra "mínimo", quedando la afirmación inicial en "*se necesitan 21 días para formar un nuevo hábito*". La sociedad comenzó a difundir el mito de los 21 días. Cuando muchas personas dan por cierto algo y lo repiten de forma constante, nacen los mitos, que son creencias falsas e infundadas que se dan por ciertas sin ni siquiera cuestionarse el origen, o si realmente tienen sentido.

Una cosa sí es cierta. El marco de tiempo de 21 días es lo suficientemente corto como para ser motivante, atractivo e inspirador. Sin embargo, la idea de cambiar tu vida en solo tres semanas tiene mucho de marketing, pero –lo siento– no es real.

—Entonces, si no son 21 días, ¿cuántos días son?

Phillippa Lally y sus colegas del Health Behaviour Research del University College de Londres trataron de arrojar un poco de luz sobre este tema y publicaron un estudio para la revista científica *European Journal of Social Psychology*. El estudio examinó los hábitos de 96 personas durante un periodo de 12 semanas (90 días). Cada persona eligió un hábito durante las 12 semanas e informó cada día si lo cumplía o no, y hasta qué punto percibía que había integrado la rutina en su día a día. Algunos participantes en el estudio eligieron beber una botella de agua con el almuerzo, otros correr durante 15 minutos antes de cenar, etcétera. Se computó el tiempo que llevó a las personas automatizar un comportamiento nuevo y **el promedio fue exactamente de 66 días**.

—¿66 días de media? Eso es mucho más que 21 días. ¡Que desmotivación!

Este dato puede variar ampliamente según el comportamiento, la persona, las circunstancias y el propio hábito a transformar. En el estudio de Lally, las personas tardaron entre 18 y 254 días en formar un nuevo hábito. Así pues, vamos a dejar bien aparcado eso de 21 días de forma general. De momento, mejor encerrado, con candado, y la llave la tiramos al mar.

> **TIENES QUE APRENDER A DISFRUTAR DEL PROCESO Y ASÍ VERÁS QUE LOS RESULTADOS LLEGAN.**

Motivación para cambiar hábitos en varios meses

Después de haber visto este ejemplo, puede ser que te desmotives y pienses que necesitas mucho tiempo para transformar tus hábitos. En parte, es cierto. Sin embargo, déjame decirte algo: vivimos en una sociedad que quiere conseguir las cosas de forma rápida y sin esfuerzo; no obstante, adoptar nuevos hábitos en más tiempo nos puede ayudar a darnos cuenta de que los hábitos son un proceso en sí mismos, y no un resultado final. El bombo de los 21 días es puro marketing y no conduce a resultados fiables ni seguros; los hábitos no funcionan así.

Cuando menos lo esperes, tendrás los hábitos totalmente interiorizados y no habrás estado contando días precisamente. Olvídate de los días y da el primer paso. Una vez hayas empezado a caminar no habrá vuelta atrás. Y no te juzgues ni presiones si fallas, porque podrás fallar. Se trata de un camino largo y puede haber altibajos. Simplemente sigue caminando, que este libro te va a ayudar a lo largo del proceso.

El bucle del hábito

Este bucle lo tienen en común todos y cada uno de los hábitos, y consta de tres partes: una señal, una rutina y una recompensa.

La señal o recordatorio es lo que activa el hábito. Es como el disparo de salida en una carrera, lo que te induce a iniciar la acción. Puede ser un sentimiento (estoy cansado, tengo hambre, estoy aburrido, estoy triste), puede ser una hora del día (es lunes y son las 9 de la mañana) o puede ser algo que ves (la luz roja en un semáforo que te hace parar el coche).

La rutina es la acción propia del hábito. Es lo más fácil de identificar, ya que es lo más obvio, lo más visible. Esta rutina puede ser positiva o negativa, como más adelante verás (ir al gimnasio, beber alcohol, fumar, salir a correr, leer, etcétera).

La recompensa es el premio emocional que obtienes con la realización de la rutina. Es la base del bucle, ya que es lo que produce satisfacción o emoción (me siento relajado, estoy feliz, ya no tengo ansiedad, he olvidado mi mal día, me siento enérgico, estoy alegre).

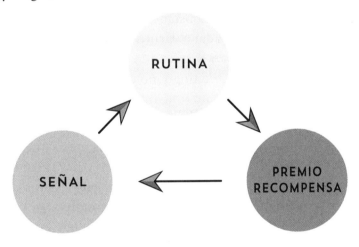

Si la recompensa es positiva, querrás repetir la rutina la próxima vez que ocurra el recordatorio. Una vez repitas la misma acción varias veces, se convertirá en hábito.

Observa el siguiente bucle unos segundos e intenta interpretarlo sin leer.

La rutina se ve clara: correr. Pero ¿cuál es la señal que se activa para que haga ejercicio? ¿Enfado? ¿Aburrimiento? ¿Estrés?

Piensa ahora en la recompensa: ¿es la recompensa el ejercicio en sí?, ¿encontrarse a solas consigo mismo?, ¿la relajación?

En este caso concreto, Juan se siente estresado (señal) y realiza ejercicio (rutina) para sentirse relajado y en calma (recompensa).

¿Quieres un ejemplo mío, personal? Presta atención.

Hace unos años adquirí un mal hábito que me dio bastantes problemas. Tenía muchos dolores de cabeza (señal) debido a mis malos hábitos, por lo que me tomaba una pastilla antiinflamatoria (rutina) para sentirme mejor, sin dolor de cabeza (recompensa).

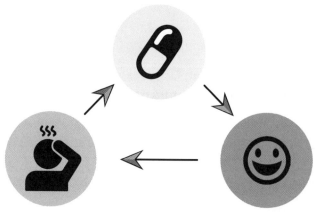

Pero cada vez que tomaba una me salía urticaria por todo el cuerpo, se me cerraba la glotis y me ahogaba. Finalmente logré descubrir que la causa de esas reacciones era una alergia a los antiinflamatorios y la verdad es que lo pasé bastante mal camuflando los síntomas de la urticaria debidos a mis malos hábitos. En mi cabeza era sencillo: me dolía el cabeza, antiinflamatorio; me daba alergia, antihistamínico…

Me gustaría que te quedaras con la idea de que los hábitos nos pueden jugar malas pasadas si no sabemos gestionarlos. El bucle de los hábitos está estrechamente ligado a la capacidad que tenemos los humanos para camuflar síntomas y no ir a la raíz de los problemas. En definitiva, se trata de una cuestión emocional: queremos la recompensa inmediata y nos da igual no tomar las decisiones más saludables a medio o largo plazo.

Ahora vamos a entrar más a fondo en el bucle. ¿Estás preparado?

Descubriendo la señal

Comenzaremos desgranando la primera parte del bucle: la señal, o, lo que es lo mismo, los factores desencadenantes de rutinas. La señal es muy importante, ya que si no se activa probablemente no habrá rutina y, por tanto, no habrá recompensa.

Si tienes como objetivo eliminar un mal hábito de tu vida, será necesario que tomes conciencia de la señal que activa la rutina o acción concreta.

Estos son algunos ejemplos de señales que activan hábitos:

- Aburrimiento. Entro a las redes sociales (rutina) y cotilleo hasta más no poder para liberar endorfinas (recompensa).

- Llegar a casa después de trabajar. Me dejo caer en el sofá y juego a videojuegos (rutina) para olvidar el estrés del trabajo y relajarme (recompensa).

- Me pongo nervioso. Me muerdo las uñas hasta que no quede ni una entera (rutina) para distraerme de la incomodidad y canalizar el nerviosismo (recompensa).

Como puedes ver, la mayoría de las acciones de nuestro día a día responden a una señal que las activa. Aparte de sorprendente, conocer esas señales te va a ayudar a tener un mayor control sobre ti mismo y por supuesto, sobre tus hábitos. Y lo que te ayuda a conocerte, ¡no tiene precio!

DESCUBRE LA SEÑAL DE TUS HÁBITOS

¡Te toca! Escoge un hábito o una rutina que tengas y que te gustaría analizar y/o cambiar. Responde a las siguientes preguntas justo en el momento en el que se active la señal:

➤ ¿Dónde estás en ese mismo momento?

➤ ¿Qué hora es?

➤ ¿Cómo te sientes?

➤ ¿Hay alguien contigo?

➤ ¿Qué acción precedió al impulso o señal?

Reprogramando nuevas rutinas

¡Es hora de reprogramar tu mente y cambiar rutinas! Y ojo, sin duda ésta es la parte más difícil de la transformación de los hábitos: cambiar la rutina, la acción en sí misma.

Ya sabes que la fuerza de voluntad y la motivación no sirven para nada si no hay un compromiso real. De hecho, la fuerza de voluntad te puede dejar tirado en cualquier momento, por lo que no la vamos a usar como herramienta fiable para cambiar rutinas.

—Si no vamos a usar la motivación y la fuerza de voluntad…
¿qué vamos a usar?

Sea lo que sea que quieras hacer (eliminar una rutina poco saludable o incorporar una rutina saludable), vamos a tratarlo con el enfoque que te comento a continuación.

Modificación del entorno

Todos estamos condicionados por el entorno que nos rodea y, por tanto, es inteligente usarlo en nuestro beneficio y modificarlo para hacer que el proceso de transformación de hábitos sea más fácil. Es decir, si simplificas al máximo las rutinas, aumentas la distancia que hay entre tú y un mal hábito, o disminuyes la distancia que hay entre tú y un buen hábito, dependerás mucho menos de la fuerza de voluntad y de la motivación, y tendrás un mayor control sobre tus decisiones y acciones.

Te muestro a continuación dos ejemplos de modificaciones de entorno:

- **Correr cada mañana.** Si quieres incorporar el hábito saludable de correr, trata de acercarte a él. Vete a dormir y deja las zapatillas de correr al pie de la cama (incluso puedes acostarte con la ropa deportiva puesta). Pon el despertador a todo volumen en la otra punta de la habitación para obligarte a levantarte.

- **Usar menos el teléfono móvil.** Desactiva las notificaciones y desinstala las aplicaciones que te hacen perder más tiempo. Pon el teléfono en modo avión cuando estés trabajando y escóndelo en un cajón para no estar pendiente de él cada dos por tres. No confíes en la fuerza de voluntad para no revisar tu teléfono cuando suene: actúa, aumenta distancias.

El poder de las recompensas

Llegamos a la última parte del bucle del hábito: la recompensa. La recompensa es clave a la hora de transformar hábitos, ya que, como sabes, la adherencia o no a un hábito depende de ésta.

Te cuento una regla de oro que funciona en tratamientos contra el alcoholismo, la obesidad, los TOC y otros cientos de conductas destructivas.

SI USAS LA MISMA SEÑAL Y PROPORCIONAS LA MISMA RECOMPENSA, PUEDES CAMBIAR LA RUTINA Y CAMBIAR EL HÁBITO.

Si tomas demasiado café para tener más energía porque te sientes cansado, puedes intentar cambiar la rutina; por ejemplo, sal a andar o date una ducha fría para tener más energía. Si descubres que pasas demasiado tiempo viendo la televisión porque te proporciona comodidad, seguridad y evasión de la realidad, ¿por qué no pruebas a escuchar música o tu audiolibro favorito mientras caminas?

MODIFICA TU ENTORNO

Aumenta la distancia que hay entre tú y la mala rutina que quieres eliminar, y disminuye la distancia que hay entre tú y la buena rutina que quieres incorporar.

Escoge un mal hábito que quieres eliminar:

▷ ¿Qué puedo hacer para aumentar la distancia que me separa de ese hábito?

Escoge un buen hábito que quieras incorporar:

▷ ¿Qué puedo hacer para disminuir la distancia que me separa de ese hábito?

—¿Y si no sé cuál es la recompensa, cómo la encuentro?

Un truco que funciona muy bien es poner una alarma 15 minutos después de haber realizado una rutina y anotar las tres primeras palabras que te vengan a la cabeza. De esa manera tendrás más clara cuál es esa recompensa. Por ejemplo, 15 minutos después de haber jugado un partido de pádel, me vienen estas 3 palabras a la cabeza:

• Motivación

• Diversión

• Sociabilidad

Ahora déjame contarte un ejemplo más personal.

Estuve mordiéndome las uñas durante unos 20 años, aproximadamente. Cada vez que me encontraba en una situación de nerviosismo o inseguridad, me las mordía, incluso me las arrancaba con las uñas de la otra mano. Mi cuerpo había generado un mal hábito desastroso: devorarse a sí mismo. Lógicamente, ese hábito lo creé de forma automática, inconsciente, con el objetivo de canalizar esos momentos de estrés. Formó parte de mí a lo largo de 20 años.

Aquí el bucle del hábito se ve claramente:

- Señal: estoy nervioso, inseguro, algo me preocupa.

- Rutina: ¡a por esas uñas!

- Recompensa: me siento más tranquilo…

Seguramente te estés preguntando cómo cambié esa rutina.

Primero tuve que comprometerme (de esto te hablaré con más detalle en las siguientes páginas). De no haberme comprometido de verdad, hubiera dependido demasiado de mi fuerza de voluntad, y ya sabes que te deja pronto tirado si no eres fuerte de verdad.

Segundo, cambié la rutina por otra acción:

- Señal: estoy nervioso, inseguro, algo me preocupa.

- Rutina A: voy a respirar profunda y conscientemente.

- Rutina B (si A no funciona): goma elástica en la mano y a darle cera.

- Recompensa: me siento más tranquilo y motivado, ¡y con más autoestima!

¿Ves? Haciendo un simple cambio de rutina puedes obtener no solo las mismas recompensas, sino más y mejores.

La mayoría de las veces que consigues cambiar una rutina y obtienes buenos resultados, la recompensa suele venir reforzada (autoestima, fortaleza, motivación, etcétera). En mi proceso de dejar de morderme las uñas, he descubierto la importante recompensa que obtenía todo el tiempo, que era canalizar el estrés y la ansiedad. He descubierto que cambiar la rutina (de morderme las uñas a meditar) no solo me ha ayudado a transformar el hábito, sino también a solucionar un grave problema que estaba afectando a mi salud física y mental.

—¿Y qué hago si no sé qué hábitos o rutinas son buenos o malos?

No te preocupes, porque en el siguiente capítulo te pondré ejemplos claros y prácticos.

Una vez que sabes en qué contexto se activa la señal, cuál es la rutina exacta que realizas y cómo te sientes al obtener la recompensa, será cuestión de hacer los cambios necesarios y transformar el hábito.

El arte de transformar hábitos

Ya eres consciente de tus hábitos diarios y sabes interpretar el bucle señal-rutina-recompensa a través del cual se activan y repiten. Ahora es momento de ir un paso más allá y transformar tus hábitos. Prefiero llamarlo transformar, ya que este término implica tanto quitar como incorporar diferentes hábitos.

—Pero a ver, ¿por qué voy a querer yo cambiar mis hábitos? ¡Me gustan mis hábitos!

No estarías leyendo este libro ahora si no estuvieras interesado en cambiar, transformar y mejorar tus hábitos. Si tienes dudas, hazte la siguiente pregunta:

MIS HÁBITOS DIARIOS, ¿ME ESTÁN ACERCANDO O ALEJANDO DE LOS RESULTADOS QUE QUIERO CONSEGUIR EN MI VIDA?

CONOCE LAS RECOMPENSAS

Escoge un mal hábito a cambiar.

➤ ¿Cuál es la recompensa que obtienes al realizar la rutina?

➤ Piensa y escoge otra rutina que creas que puede desencadenar la misma recompensa o una parecida.

➤ Ponla en práctica en cuanto tengas ocasión. ¿Cuál es la nueva recompensa?

➤ ¿Ha funcionado? ¿No ha funcionado? Sigue intentándolo o cambia la rutina por otra, hasta que funcione.

Piensa una vez más en tus hábitos y hazte las preguntas adecuadas. Por ejemplo:

- Pasar 2-3 horas al día viendo la televisión, ¿me está sirviendo para estar en forma?

- Dormir 2 horas de siesta, ¿me está ayudando a dormir mejor por la noche?

- Comer tanto azúcar, ¿me está llevando a tener más salud y energía?

- Comer tanta bollería, ¿está favoreciendo que coma más verdura y fruta?

- Leer 1 hora al día, ¿me está aportando cosas positivas?

- Ir 1 hora al gimnasio cada día, ¿me está ayudando a conseguir el cuerpo que quiero?

Es muy importante que entiendas que tus hábitos determinan los resultados que logras. Muchas personas no alcanzan sus objetivos porque sus hábitos, totalmente automatizados, no se lo permiten. Por tanto, hay que empezar desde los hábitos.

Hazte preguntas, indaga, llega a la raíz de los hábitos… ¡destrózalos por dentro! Es la única forma de transformar tu salud y ser quien de verdad estás destinado a ser.

Piensa en esto como un videojuego: ¡el videojuego de tu vida! Cada vez que introduzcas un hábito saludable o elimines uno malo, desbloqueas un nuevo logro y subes de nivel. Ese desbloqueo puedes usarlo en el sentido literal de la palabra, ya que estarás rompiendo una cadena que te tenía atado. Recuerda la historia del elefante y ten en cuenta que no puedes echar a caminar si tienes el pie atado con una cadena, ni tampoco correr si alguien te está sujetando por detrás.

Para cambiar la manera de hacer las cosas, tienes que liberarte de esas creencias y de esos hábitos que te están lastrando. Y para ello hay una fórmula muy sencilla: ¡descarga eléctrica!

—Me estás vacilando.

Sí, un poco, pero en realidad me sirve para explicarte que los acontecimientos desagradables, como esa descarga eléctrica, pueden servir para crear un refuerzo negativo que provoca el debilitamiento de esas asociaciones señal-rutina-recompensa. Si yo cada vez que me intentaba morder las uñas hubiese recibido una descarga eléctrica, ten por seguro que no hubiera estado 20 años mordiéndomelas.

Sin embargo, voy a tratar esta información como te mereces, y te voy a dar algunas claves más prácticas y coherentes para transformar hábitos a tu antojo. Por cierto, no quiero hacerte creer que cambiar hábitos es sencillo; de hecho, no es nada fácil eliminar un mal hábito que tienes automatizado ni tampoco crear un nuevo hábito saludable que sabes que te va a beneficiar, pero que te supone un sacrificio incorporarlo por alguna razón. Por eso quiero ofrecerte las siguientes diez claves rápidas, que seguro que te van a ayudar a tener un mayor control sobre tus hábitos.

1.º *El compromiso del para qué*

Hace un momento te hablaba sobre por qué cuesta tanto introducir hábitos saludables y eliminar otros hábitos no tan sanos. También te hablaba sobre el compromiso, y es que comprometerse es el primer paso, y el más importante, para lograr todos los objetivos.

—Muy bonito eso del compromiso, pero ¿cómo lo hago?

Haciéndote la siguiente pregunta: ¿para qué?

Antes de hacer nada, necesitas una buena razón para introducir o quitar un hábito en tu vida. Solo de esa manera te estarás comprometiendo de verdad con la consiguiente motivación.

> COMPROMISO REAL = MOTIVACIÓN, FUERZA DE VOLUNTAD, CONSTANCIA Y ADHERENCIA = RESULTADOS

Sin embargo, si te motivas sin un compromiso real, no hay nada; bueno, sí: postureo. Con una motivación puntual, descabalgarás una y otra vez de tu propósito si no hay un verdadero para qué. Encuentra tu para qué, y nada impedirá que logres tus objetivos. Te expongo a continuación algunos ejemplos de mis "para qué".

- Me levanto antes, no por el mero hecho de madrugar y disfrutar de más horas, sino para poder dedicarle más tiempo a mi negocio, mejorar el rendimiento y disponer de más tiempo libre para hacer lo que me gusta, lo que tiene como consecuencia una mejora de mi salud física y mental.

- Me alimento bien, no solo para no enfermar, sino para sentirme con plena energía y vitalidad, lo que tiene como consecuencia una salud que me permite hacer todo lo que me gusta al 100%.

- Hago ejercicio no solo para verme bien en el espejo, sino para tener un cuerpo lo suficientemente sano y fuerte como para enfrentarme a la vida con la actitud correcta y no tirar nunca la toalla a las primeras de cambio.

Pero eso sí, no te voy a engañar. Habrá días en los que querrás retroceder y volver a tus viejos hábitos. Incluso habrá días que retrocederás de verdad, especialmente al principio. No te desanimes, esto es normal, aunque no es una buena noticia. Comprometerte contigo mismo ayuda, pero comprometerte con una comunidad entera o con un grupo de personas aún es más efectivo, y de ello vamos a hablar en el siguiente apartado. Una buena opción es que escribas cuáles son tus propósitos de verdad, los de corazón. Escríbelos y ponlos donde puedas verlos todos los días. Reforzarás tu compromiso y te mantendrás motivado y enfocado en el camino correcto.

2.º Recluta aliados

Esto, que puede parecer una tontería, puede ser de gran ayuda, sobre todo si flaquea tu fuerza de voluntad o tiendes a tirar la toalla a las primeras de cambio. Así lo hice con mis queridas uñas, y el apoyo de la gente reforzó mi motivación, ya que no solo iba a rendir cuentas conmigo mismo, sino también con la gente con la que me había comprometido.

Si de verdad te comprometes contigo mismo y además lo refuerzas con una comunidad de amigos, será realmente complicado que abandones. Habrá momentos en los que estarás a punto de venirte abajo, en los que pensarás que no puedes y creerás que no tiene sentido seguir, pero te aseguro que volverás a estar arriba, porque tienes una causa mayor que cumplir, un "para qué". Por ejemplo, puedes comprometerte a ir al gimnasio con un amigo y así él tirará de ti en momentos de pereza o de flaqueza. Puedes colgar una publicación en una red social y dar a conocer al mundo cuál es tu propósito y tu objetivo. ¡Y gritar al cielo que lo vas a lograr!

3.º *Paso a paso*

Hay muchas personas comprometidas con un para qué, pero sin embargo fallan y se dan por vencidas a la hora de transformar hábitos. ¿Por qué pasa esto? Porque no van paso a paso:

- Intentan cambiar demasiados hábitos, con demasiada rapidez
- Se impacientan muy pronto porque no ven resultados
- Se saltan el compromiso y se juran que no volverá a pasar
- Vuelven a empezar, una y otra vez

Grábate esta frase en la cabeza:

SI ESTÁS CANSADO DE VOLVER A EMPEZAR, DEJA DE RENDIRTE Y SIGUE ENFOCADO.

Si quieres mantener intacta tu motivación y tu fuerza de voluntad, debes hacer cambios progresivos, de menos a más (o, dependiendo de cómo se mire, de más a menos). Además, no intentes cambiar varios hábitos de golpe, o estarás condenado al fracaso. Solo de esa manera conseguirás incorporar y quitar hábitos, y mantener la adherencia al nuevo cambio.

Si tu alimentación es bastante mala en general, no puedes pretender cambiarla de arriba abajo, de la noche a la mañana. Si comes todos los días una barra de pan, prueba a comer la mitad; si bebes todos los días un litro de refrescos azucarados, prueba a disminuir el consumo a la mitad, etcétera.

4.º Entrena la disciplina

Tienes que ser más inteligente que tu zona de comodidad. Cuando veas que te está costando la inclusión de un nuevo hábito bueno o la eliminación de uno malo, piensa en lo siguiente:

> HAZ QUE EL DOLOR DE SALTARTE LA NUEVA RUTINA SEA MAYOR QUE LA SATISFACCIÓN QUE OBTIENES AL SALTÁRTELA. CON REFUERZOS NEGATIVOS ¡DESCARGA ELÉCTRICA!

O bien…

> HAZ QUE EL BENEFICIO DE NO SALTARTE LA NUEVA RUTINA SEA MAYOR QUE EL DE SALTÁRTELA.

Si consigues autoimponerte castigos y premios, puedes proporcionarte una motivación extrínseca que te ayudará en el proceso de transformación del hábito. En otras palabras, ¡crea tus propias recompensas que te recompensen!

Pero sé coherente: no te vayas a recompensar de forma positiva con un pastel… Tienen que ser cosas inteligentes, como, por ejemplo:

- Si has conseguido correr 10 minutos cada día durante un mes entero, permítete el lujo de comprarte unas zapatillas de correr nuevas, que te den ganas de seguir con la rutina.

- También puedes "castigarte" haciendo 20 *burpees* o un ejercicio físico que no te guste, cada vez que falles en tu compromiso de salir a correr.

5.º No te pierdas por el camino

Salirte del camino "a coger setas" en un momento puntual no va a perjudicar seriamente el proceso de transformación de un hábito. Pero cuidado con perderse por el camino: eso sí es un riesgo. Después de un fallo hay que retomar la rutina y seguir caminando. Por una vez que falles, no pasa nada, pero una vez se convierte en dos muy rápido, y dos en treinta en un abrir y cerrar de ojos. Ten clara tu hoja de ruta y el rumbo a seguir. De esa manera nunca llegarás a perderte.

6.º Hábitos que odias, hábitos peligrosos

—El *running* está de moda. Todo el mundo corre, sé que es bueno y estoy intentando crear el hábito... ¡pero odio correr!

Párate justo aquí y atiende a lo que te voy a decir: no tienes por qué hacer algo que ni te llama la atención ni te gusta. Puedes obtener los mismos resultados y beneficios haciendo cualquier otra rutina (senderismo, pasear, nadar...).

Elige un hábito que puedas mantener en el tiempo, no te dejes llevar por lo que esté de moda o por lo que le funciona a otra persona. Por otro lado, el hecho de acostumbrarte a algo que no te gusta puede hacer que acabes amándolo. Si empiezas a obtener recompensas que te producen motivación, autoestima y superación personal, puedes llegar a engancharte y crear el hábito de algo que en principio jamás habrías creído.

7.º La combinación perfecta

Considera combinar un hábito que no te gusta por algo que sí te gusta. Por ejemplo, si no te gusta salir a andar porque te aburre, escucha un *podcast* de algo que te interese mientras caminas, y verás cómo te motivas a hacer ejercicio. Si no te gusta limpiar la casa, escucha música que te apasione y verás como la dejas más reluciente que nunca. Es una manera muy inteligente de crear motivación y adherencia al cambio de hábitos. ¡Aprovéchala!

8.º Haz menos

¿Has oído o leído alguna vez eso de "menos es más"? Elige un hábito, rómpelo en dos partes y consigue una pequeña victoria al final del día. Si te propones un hábito muy general, como hacer ejercicio o empezar a comer mejor, no vas a conseguir absolutamente nada. Tienes que marcarte cosas específicas, medibles, analizables:

- ¿Quieres comenzar a hacer más ejercicio? Perfecto, ponte como objetivo caminar 10 minutos cada mañana. No más.

- ¿Quieres comenzar a alimentarte mejor? Empieza por reducir la cantidad de malos alimentos que ingieres. Pasa de un litro de cerveza al día a la mitad.

- ¿Quieres empezar a invertir mejor tu dinero? Comienza por ahorrar 5 euros al día (o 140 euros a la semana) y verás qué viajes más espectaculares te regalas a final de año.

- ¿Quieres aprender más sobre un determinado tema? Escucha un *podcast* o lee 15 minutos al día, y al final de cada mes acumularás más de 420 minutos de formación, lo que a su vez supondrá más de 5.000 minutos (más de 80 horas) al año de especialización en un tema concreto.

¿Lo entiendes? Pequeñas y simples tareas del día a día suponen grandes avances y resultados a largo plazo. Cuanto más pequeñas sean esas tareas, más fáciles serán de mantener en el tiempo y más cerca estarás de crear el hábito.

9.º El proceso, lo más importante

No te hagas la típica pregunta: ¿en cuánto tiempo veré resultados?

Céntrate en disfrutar del proceso y verás cómo los resultados llegan solos. Si logras entenderlo bien, nunca más te preocuparás por abandonar cualquier cosa que te propongas hacer, porque habrás aprendido a mantener alta la motivación disfrutando plenamente de la rutina y de la recompensa sin tener que esperar a que llegue un día determinado.

10.º *Comienza hoy*

Atento a esta cita del famoso libro *El poder del hábito*:

> SI CREES QUE PUEDES CAMBIAR, EL CAMBIO SE
> MANIFESTARÁ. LO QUE MANIFIESTES EN TU MUNDO
> INTERIOR (SUBCONSCIENTE), SE CREARÁ EN TU MUNDO
> EXTERIOR, EN TU REALIDAD FÍSICA.

Para pensar así, necesitas tiempo y entrenamiento. Cada día que consigas mantener un hábito correcto, será una batalla ganada, un muro derribado y una patada al pasado. Así pues, quiero que te comprometas ahora mismo a empezar a transformar un hábito en tu vida:

- Identifica la señal que lo estimula.

- Identifica las recompensas.

- Identifica una nueva rutina que te gustaría establecer, que resulte en la misma recompensa del comportamiento negativo actual (tiene que ser más productiva y saludable).

SEGUNDA PARTE

LOS 4 FANTÁSTICOS

Ya llevamos un buen rato caminando. Si miras hacia atrás, te darás cuenta de todo lo que has aprendido y trabajado en tan poco tiempo, y eso te va a beneficiar mucho. Y hablando de trabajo:

Imagina un día corriente de tu vida en el trabajo (si no trabajas, imagínalo también). Todo está igual que siempre, no hay ninguna novedad. Llega la hora de almorzar y vas a por tu café. De repente, tu jefa te llama y te comunica la temida frase que cambia literalmente vidas:

—Tenemos que hablar.

De repente, te das cuenta de que tu día ya no va a ser normal, algo nuevo se avecina y te dispones a escuchar lo que te tiene que decir. Empiezas a pensar en algo que hayas hecho mal (o que no hayas hecho), si se te ha olvidado algo, si has tenido un comportamiento fuera de lugar, si algún compañero ha hablado mal de ti...

Entras en su despacho inundado de negatividad, y aún es peor cuando ves que tu jefa airea unos papeles con la mano.

"Estoy fastidiado, me van a despedir". Es lo primero que piensas.

Sin embargo, esos papeles solo reflejan positividad, oportunidad, cambio, ilusión, crecimiento y desarrollo personal. ¡Te quieren ascender!

Te pones muy nervioso, sabes que ese contrato va a mejorar sustancialmente tu calidad de vida.

—Dame el boli, ¡antes de que se arrepienta!

Tranquilo, antes de firmar tendrás que leer las condiciones del nuevo contrato, la letra pequeña, ¿no? Puede que realmente no sea lo que esperas y quieras abandonar el camino que te ofrecen.

Volviendo al libro: te encuentras justo en este punto, antes de firmar tu ascenso. Has aprendido lo necesario como para ser ascendido, y es hora de adquirir nuevas competencias y responsabilidades. Tu ascenso pasa por conocer muy bien a tus nuevos aliados, el *fitness* y el *wellness*.

3

FITNESS Y WELLNESS

En esta nueva parte nos vamos a centrar en dos conceptos que seguro que te resultan familiares, y justo eso es lo que quiero, que sean familiares para ti, porque les vamos a dar toda la importancia que se merecen. Es más, me gustaría que a partir de ahora fueran como tus nuevos padres virtuales.

—Gracias por darme tanto amor, pero ya tengo una familia que me quiere. ¡No necesito más!

¡No me malinterpretes! No van a sustituir jamás a tus padres biológicos. Tanto el *fitness* como el *wellness* tienen un gran potencial y te van a aportar valores, movimiento, autoconocimiento, vida sana, bienestar, ejercicio físico y mental, etcétera. En definitiva, te van a aportar grandes dosis de salud.

Hoy en día, cada vez hay más personas que quieren cuidarse y sienten interés e inquietud por el *fitness* y el *wellnes*. Sin embargo, la mayoría de las veces se habla de estos términos sin saber realmente lo que significan, por lo que creo importante explicarlos y diferenciarlos.

Wellness: *la calma, el equilibrio, el bienestar total*

El *wellness* no solo hace referencia al bienestar físico, como muchos piensan, sino que es mucho más. Es un concepto global que te va a ayudar a estar más sano, con mejor actitud frente a la vida y con una mayor riqueza física y mental. Es un estilo de vida, donde se integran el bienestar físico, mental y espiritual conviviendo en perfecta armonía.

El *wellness* no implica únicamente estar en forma. El trabajo físico se equilibra y se combina con el mental de forma amena, tranquila y sin generar estrés, de manera que podamos vivir la vida plenamente, logrando así nuestra mejor versión y desarrollando todo nuestro potencial. ¿De qué sirve estar en forma, si nunca te encuentras bien, en paz y feliz?

Algunos ejemplos de actividades donde el *wellness* está muy presente son la meditación, el yoga, el pilates, el taichí, la sauna, el spa…

Las ocho dimensiones del wellness

El *wellness* abarca **ocho dimensiones interdependientes**: física, social, ambiental, intelectual, emocional, espiritual, financiera y ocupacional.

Se debe prestar atención a todas las dimensiones, ya que con el tiempo el descuido de cualquiera de ellas afectará adversamente a las demás y en última instancia, a la salud, el bienestar y la calidad de vida.

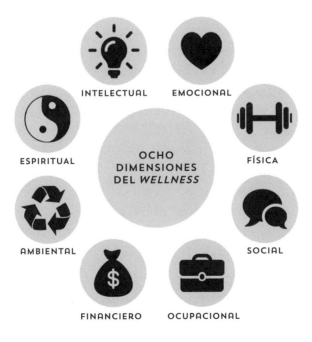

—Vaya hombre, pues voy apañado como tenga que trabajar en todas y cada una de estas dimensiones…

Tranquilo, no tienen por qué estar igualmente equilibradas todas y cada una de estas dimensiones. Debes buscar tu armonía personal, tus acciones, tus propósitos y prioridades. No puedes pretender dominar todas y cada una de las dimensiones. ¡Nadie puede!

Veamos ahora de forma más específica cada una de las dimensiones.

1.- DIMENSIÓN FÍSICA

La dimensión física no solo hace referencia a todo lo que tiene que ver con el ejercicio y el movimiento físico, sino también con aquellos hábitos saludables que mejoren tu bienestar y armonía, como el correcto descanso y la buena alimentación. El *fitness* se encuentra en esta dimensión, y de él hablaremos después de forma más detallada.

2.- DIMENSIÓN SOCIAL

La dimensión social consiste en conectar con y rodearte de un entorno social agradable, alejándote de las personas tóxicas que no te aportan cosas buenas en tu vida. Es importante desarrollar amistades, disfrutar de la compañía de los demás, tener relaciones íntimas, preocuparse por los demás y dejar que los demás se preocupen por ti.

3.- DIMENSIÓN AMBIENTAL

La dimensión ambiental nos hace tomar conciencia de lo importante que es ser respetuoso con nuestro entorno y comprender la relación que hay entre ese entorno y las personas. Aquí entra el entorno social, el natural y el físico.

La forma en que cuidamos nuestro entorno y el medio ambiente desempeña un papel muy importante sobre la forma en que vivimos; somos absolutamente responsables de cuidar este entorno.

4.- DIMENSIÓN INTELECTUAL

La dimensión intelectual fomenta la participación en actividades creativas y de estimulación mental, a la vez que descubres el potencial para compartir con los demás tus dones en este campo.

Hay muchos tipos de inteligencias: lingüística, lógico-matemática, espacial, musical, corporal, intrapersonal, interpersonal, emocional, etc. No pretendas dominarlos todos, pero al menos detecta dónde puedes tener un problema y ponle remedio.

En el sistema educativo se abordan contenidos muy relacionados con las inteligencias lógico-matemática, lingüística, musical y corporal, pero se deja a un lado la educación emocional, por ejemplo. Créeme si te digo que de poco sirve tener un elevado cociente intelectual si no sabes relacionarte con las personas de forma asertiva, empática y respetuosa.

5.- DIMENSIÓN EMOCIONAL

La dimensión emocional se refiere al reconocimiento y la aceptación de las propias emociones y sentimientos, incluyendo el manejo de la frustración y el estrés. También hace referencia a la capacidad de pensar de forma crítica, reflexiva y razonada, y de tomar decisiones responsables, respetando los puntos de vista de los demás.

Aquí es importante el aprendizaje continuo, practicar el pensamiento positivo y mostrarse entusiasmado ante la vida, pero siendo consciente de que no siempre se puede estar bien y de que hay que aprender a gestionar las emociones.

6.- DIMENSIÓN ESPIRITUAL

El bienestar espiritual no se refiere a religiones o rezos, a creer en Dios o en la Iglesia, sino que es algo mucho más trascendental: implica darle significado a lo que te pasa, a tus pasos, a tu camino, a la vida. Se trata de llevar a cabo actividades que estén en concordancia con tus creencias y valores. Una persona espiritualmente sana busca la armonía con el universo, tiene compasión hacia los demás y sabe ser agradecida.

7.- DIMENSIÓN FINANCIERA

La dimensión financiera nos hace entender lo importante que es tener una relación saludable con el dinero, además de tener habilidades para gestionar recursos y vivir de acuerdo con nuestros medios y propósitos, tomar decisiones financieras coherentes, establecer objetivos realistas y anticiparse a las necesidades. Al igual que pasa con la inteligencia emocional, no nos educan para saber manejar nuestras finanzas en la edad adulta, y, por tanto, hay que aprender.

8.- DIMENSIÓN OCUPACIONAL

La dimensión ocupacional o vocacional implica prepararse para participar en un trabajo que proporcione satisfacción y enriquecimiento personal, en concordancia con los valores, los objetivos y el estilo de vida de cada uno. Se trata de dar sentido a tu vida, de encontrar respuestas, de buscar tus puntos fuertes y tus pasiones, y ponerlos al servicio de la humanidad. Es la única manera de disfrutar plenamente del trabajo y estar realmente satisfecho con tu vida. Por desgracia, no es lo más común hoy en día, ya que lo que vemos son personas insatisfechas con un trabajo que no les llena y con el que no se sienten realizadas.

Fitness: *en forma, fuerte y sano*

¿Qué es el *fitness*? ¿Qué historia tiene? ¿Quién separa los límites del *fitness*? A menudo este término se utiliza indiscriminadamente, lo que da lugar a confusiones. Se ha desvirtuado bastante el significado de la palabra *fitness*. Hay muchas creencias erróneas y muchos mitos en torno a ella. Por ello, quiero arrojar un poquito de luz sobre este concepto para que te quede más claro y no te líes.

La palabra *fitness* viene del inglés y no tiene traducción literal. *Fit* significa "en forma, sano, saludable", y *ness*, "estado o cualidad". Es decir, podemos definir *fitness* como "estar físicamente en forma y saludable".

Si vamos un poco más allá, estar *fitness* significa tener un cuerpo funcional y estar en forma, físicamente fuerte y saludable, de manera que podamos desenvolvernos en la vida real con energía, vigor y vitalidad, y sin fatiga.

Fitness es un estado que te va a permitir utilizar tu cuerpo en actividades que requieran capacidades físicas de fuerza, resistencia, flexibilidad, coordinación, agilidad, potencia, equilibrio, velocidad y precisión sin experimentar fatiga. Un cuerpo funcional implica que tiene todas estas capacidades y aptitudes, que además van de la mano con los cinco componentes básicos del *fitness*.

Los cinco componentes del fitness

Estos componentes afectan de forma directa a la salud, y son: resistencia cardiovascular, resistencia muscular, fuerza muscular, flexibilidad y composición corporal. Podremos determinar si estás en buena forma en función de cómo sean tus capacidades y aptitudes físicas, y según cómo te desenvuelvas en cada uno de esos componentes.

—¡Entonces yo soy el anti-*fitness*!

Míralo de forma positiva y piensa que tienes mucho margen de mejora. Además, este libro te va a ayudar a ser algo más *fitness* de forma sencilla, así que no te preocupes demasiado.

Te voy a hablar a continuación de forma más detallada sobre cada uno de los componentes básicos, para que te quede más claro y sepas lo que el *fitness* puede hacer por ti.

1. RESISTENCIA CARDIOVASCULAR

La resistencia cardiovascular hace referencia a la capacidad que tiene el organismo de obtener, procesar y proporcionar oxígeno durante la actividad física a través de los sistemas circulatorio y respiratorio del cuerpo.

Las actividades que ayudan a mejorar la resistencia cardiovascular son aquellas que se realizan bajo una frecuencia cardiaca moderada durante un periodo de tiempo prolongado (nadar, caminar, trotar, ir en bicicleta, practicar senderismo, jugar al fútbol o al tenis, bailar, etc.). El trabajo de resistencia cardiovascular no suele ir acompañado de aumento de masa muscular (salvo en principiantes que comienzan a entrenar).

2. RESISTENCIA MUSCULAR

La resistencia muscular es la capacidad de procesar, almacenar y utilizar energía por parte de los músculos a través de múltiples contracciones. También podríamos definirla como la capacidad de levantar, tirar o empujar un determinado peso durante un largo periodo de tiempo. Es precisamente la prolongación del esfuerzo lo que diferencia la resistencia muscular de la fuerza muscular.

La resistencia muscular normalmente se entrena en el gimnasio con muchas repeticiones (15-30) y poco peso, pero, dependiendo de la especialidad deportiva y del objetivo, también se entrena de forma directa con los ejercicios que trabajan la resistencia cardiovascular, ya que el músculo se somete a contracciones continuas y tiene que adaptarse.

3. FUERZA MUSCULAR

La fuerza muscular es la capacidad que tienen los músculos para ejercer fuerza (levantar, empujar o tirar) durante una actividad. En general, si un músculo trabaja de manera constante y regular, aumentará la fuerza. Cualquier actividad que implique mover resistencias o cargas pesadas, ya sea en forma de peso o el propio cuerpo, a bajas repeticiones implicará una mejora en los niveles de fuerza muscular.

Normalmente, este aumento de fuerza muscular va acompañado de un aumento de masa muscular, sobre todo en personas principiantes que comienzan a entrenar.

Ejemplos de actividades que mejoran la fuerza son las flexiones, las sentadillas, el peso muerto, los *burpees*, las zancadas, las dominadas, subir cuestas, etc.

4. FLEXIBILIDAD

La flexibilidad la podemos definir como la capacidad de maximizar el rango de movimiento de las articulaciones. La flexibilidad es específica de cada articulación y depende de una serie de variables, incluida la rigidez de los ligamentos y los tendones. Por tanto, cada articulación o grupo muscular puede tener un rango de movimiento diferente o un nivel de flexibilidad diferente.

Los ejercicios enfocados a desarrollar la flexibilidad mejorarán el rango de movimiento, aliviando lesiones, tensiones y otras molestias.

Desde el punto de vista médico y deportivo, se considera que el mantenimiento de la flexibilidad es una de las cualidades físicas que más beneficios nos aporta para llevar una vida *fitness*. La flexibilidad aumenta con diversas actividades, como yoga, pilates o sesiones específicas de estiramientos.

5. COMPOSICIÓN CORPORAL

Normalmente, cuando alguien quería conocer su estado físico de salud se hacía una estimación de su IMC (índice de masa corporal) dividiendo el peso (kg) por la altura al cuadrado (m). No me voy a molestar ni en ponerte la fórmula, porque es una medida totalmente artificial, obsoleta, que no hace distinción entre músculo, grasa, hueso y agua, que es lo que hay que valorar a la hora de analizar la composición corporal. Dos individuos con el mismo peso y la misma altura pueden tener composiciones corporales muy diferentes si uno tiene gran cantidad de músculo y el otro de grasa, puesto que un kilogramo de músculo pesa lo mismo que un kilogramo de grasa pero ocupa menos espacio; así pues, saca tus propias conclusiones. Por lo tanto, el IMC no sirve para controlar de forma óptima la composición corporal.

Si quieres saber cuál es tu composición corporal, lo mejor es que te valore un especialista, que aplicará la técnica de pliegues cutáneos o te medirá en una báscula de bioimpedancia profesional.

4

LOS 4 FANTÁSTICOS

Ha llegado la hora de hablar sobre los 4 fantásticos.

—¡Qué bien, me compré el libro justo para eso! ¡Soy un fan de Marvel!

Esto… A ver cómo te digo esto. No vamos a hablar de Marvel, sino de hábitos saludables. En fin, haré como que no he visto tu comentario.

Antes te propuse que imaginaras el *fitness* y el *wellness* como tus padres virtuales. Pues ahora quiero que pienses en los 4 fantásticos, pero relacionados con hábitos saludables.

Te presento a tus nuevos superhéroes, los 4 fantásticos saludables y sus poderes especiales:

- **A**ctividad física: fuerza física y resistencia
- **Nu**trición: energía, chispa y vitalidad
- **Bi**enestar: fuerza mental y belleza física
- **De**sarrollo personal: flexibilidad, empatía e inteligencia emocional

Estos 4 fantásticos tienen diferentes poderes, rasgos y objetivos vitales. Unos tendrán más de *fitness*, otros más de *wellness*, y aun otros tendrán un poco de cada. Por tanto, no vamos a poner etiquetas y nos vamos a centrar exclusivamente en aprender lo mejor de cada uno para que puedas adquirir los hábitos saludables que más te convengan de manera que llegues a tener un equilibrio físico y mental en tu vida.

Tú serás el quinto fantástico: ANUBIDE. El superhéroe más sano jamás creado.

—Vale, justo en este punto te estás viniendo muy arriba. Vuelve al camino…

Está bien, tienes razón, sigamos caminando.

A continuación voy a describirte someramente cada uno de ellos para que los conozcas algo más y sepas en qué cosas destacan y cuáles son sus poderes, sus pasiones y sus puntos fuertes. En los siguientes capítulos te hablaré más detalladamente sobre cada uno para que empieces a incorporar hábitos saludables.

Actividad física es el que más en forma está. Domina a la perfección el arte del movimiento, la fluidez, la agilidad y la coordinación. Es el más fuerte de los 4 fantásticos y tiene una gran resistencia. Definitivamente, es un atleta.

Podrás aprender todo lo relacionado con los hábitos que tengan que ver con movimiento, ejercicio y entrenamiento deportivo.

Nutrición es el que más y mejor combustible tiene, y por tanto desprende energía y vitalidad. Sabe comprar comida de verdad y su alimentación es saludable, equilibrada y, cuando puede, ecológica (es consciente de que no siempre lo ecológico es mejor). Conoce la diferencia entre alimentarse y nutrirse, y eso le proporciona mucha ventaja frente a los enemigos. Te puede enseñar a tener los mejores hábitos nutricionales sin hacer dietas, sin contar calorías, sin pasar hambre y de una manera sostenible en el tiempo.

Bienestar es el más tranquilo y pacífico de todos, y ahí radica su verdadero poder. La meditación es su fuerte y puede estar conectado consigo mismo durante largos periodos de tiempo. Tiene una gran fortaleza mental y una gran capacidad de concentración, y no se pierde ni un detalle. Está realmente comprometido con el medio ambiente y las causas sociales; cree en la fuerza de la naturaleza, y por ello aporta su granito de arena para hacer del mundo un lugar mejor. No soporta los plásticos y hace todo lo posible por no consumirlos.

Esa tranquilidad y paz interior se refleja en su estética, por lo que es quien tiene mejor apariencia. También usa trucos y estrategias totalmente naturales para verse mejor en el espejo y sentirse realmente bien. Es el más presumido de todos.

Desarrollo es el más influyente y dialogante. Tiene una elevada capacidad social, se conoce mejor que nadie y también es consciente de que nunca deja de conocerse, de mejorar, de progresar. Sabe que no sabe nada, y eso le hace ser humilde.

Cree en la fuerza interior de uno mismo y piensa que el crecimiento personal, conocerse más y formarse, es clave para

TUS RESULTADOS CRECERÁN EN LA MEDIDA
EN QUE TÚ CREZCAS.

mejorar en todos los niveles: sanitario, laboral, social, deportivo, económico.

Antes de seguir, ten en cuenta que no tienes que incorporar a tu vida todos los hábitos que describiremos a partir de ahora. Asegúrate de analizar e informarte bien sobre todos y cada uno de ellos, ya que es posible que algunos no sean apropiados para ti por diferentes motivos (horarios, lesión, preferencias) o porque simplemente ya forman parte de tu vida.

Te propondré retos durante el camino para que te motives a introducir los hábitos y esto te suponga una experiencia divertida e ilusionante.

En la tercera parte de este libro haré un resumen de los más de treinta hábitos que vamos a ver y te explicaré qué puedes hacer para introducirlos poco a poco en tu vida. Es importante que vayas apuntando que hábitos te interesan, para que luego todo te resulte más sencillo. Veamos el primero.

Ejercicio y actividad física

Aunque algunos lo vean como un enemigo, el ejercicio es, y siempre será, tu aliado. Y no estoy hablando de guerras; me refiero a que los beneficios del ejercicio van mucho más allá de lo que crees, más allá de lo físico.

Antes de abordar esos beneficios, creo que es necesario diferenciar entre actividad física, ejercicio y deporte, porque no son lo mismo, aunque mucha gente los use indistintamente.

- **Actividad física:** cualquier movimiento corporal producido por los músculos que resulta en gasto de energía (kilocalorías). Haces actividad física cuando te mueves, sin ningún objetivo en concreto. Ejemplos: ir a comprar andando, subir escaleras, sacar al perro...

- **Ejercicio:** actividad física que planificamos y estructuramos repetidamente con el objetivo de mejorar o mantener la aptitud física (resistencia, fuerza, flexibilidad...). Ejemplos: correr, ir al gimnasio, nadar, hacer zumba...

- **Deporte:** actividad física especializada en la que hay unas reglas concretas. Se compite contra alguien o contra algo, y se necesita un mínimo entrenamiento y aptitud física para poder rendir (fútbol, baloncesto, tenis...).

Por su parte, la aptitud física es la capacidad que tiene el organismo de efectuar diferentes actividades físicas de forma eficiente, retardando la aparición de fatiga y disminuyendo el tiempo necesario para recuperarse.

Si quieres vivir de forma saludable y prevenir un gran número de enfermedades, tanto la actividad física, como el ejercicio y el deporte deben ser una parte básica e integral de tus hábitos diarios y semanales.

Moverte te proporcionará muchísimos beneficios, tanto fisiológicos, como mentales y sociales:

- Ayuda a prevenir multitud de enfermedades, tales como obesidad, enfermedad cardiovascular, hipertensión, diabetes, síndrome metabólico, ansiedad, depresión...

- Favorece el desarrollo de masa muscular, tan necesaria para evitar sarcopenia y tener un metabolismo más acelerado y mejores niveles hormonales.

- Mejora el rendimiento físico y aumenta los niveles de energía y vitalidad.

- Aumenta la autonomía y la integración social, y mejora la autoestima y la seguridad.

- Ayuda a controlar el peso y a mantener una composición corporal saludable.

Toda ayuda es poca para fomentar el movimiento crucial para tu salud, por lo que es de la máxima importancia que existan cada vez más espacios accesibles para todos donde poder realizar actividad física (carriles bicis, circuitos en las playas, máquinas en parques, etc.). De todos modos, el panorama de la actividad física a nivel mundial es bastante desalentador si tenemos en cuenta que uno de cada cinco adultos y cuatro de cada cinco adolescentes no realizan suficiente actividad física.

—¿Y qué pasa con eso? ¿Es realmente peligroso?

Efectivamente, la falta de actividad física ha sido identificada como factor de riesgo, siendo la cuarta causa de mortalidad a nivel mundial, asociada a diversas enfermedades.

—Entiendo, pero... ¿cuánto tiempo debo hacer ejercicio?

Buena pregunta. Entramos en una cuestión debatible, ya que no tiene por qué regirse por unos estándares prefijados. Pero para evitar que vayas preguntando o buscando en Google y veas

¿CUÁNTA ACTIVIDAD FÍSICA SE RECOMIENDA?		
NIÑOS ADOLESCENTES (5-17 AÑOS)	ADULTOS (18-64 AÑOS)	ADULTOS (+ DE 65 AÑOS)
• Al menos 60 min. diarios de actividad física moderada o intensa. • Duraciones superiores a los 60 min. proporcionan mayores beneficios. • Se deben incluir actividades que fortalezcan los músculos y huesos, por lo menos 3 veces a la semana.	• Minutos/semana: al menos 150 de actividad física moderada o 75 min. intensos. • + de 300 min. semanales proporcionan mayor beneficios. • Se deban incluir actividades que fortalezcan los músculos y huesos 2 o más días a la semana.	• Minutos/semana: al menos 150 de actividad física moderada o 75 min. intensos. • Si hay problemas de movilidad, trabajar el equilibrio 3 veces a la semana. • Se deben incluir actividades que fortalezcan los músculos y huesos 2 o más días a la semana.

diferentes opiniones e informaciones, voy a simplificar la cuestión mostrándote un gráfico con las recomendaciones de la OMS sobre actividad física.

Hablando en términos generales y para adultos, la OMS recomienda realizar actividad física aeróbica (correr, andar, nadar, pedalear, bailar...) de intensidad moderada al menos 150 minutos por semana, o bien 75 minutos de actividad intensa (pesas, esprints, *crossfit*...) por semana, o bien una combinación equivalente de ambas.

El Colegio Americano de Medicina del Deporte (ACSM, American College of Sports Medicine), la Asociación Americana de Corazón (AHA, American Heart Association) y los Centros de Control y Prevención de Enfermedades de Estados Unidos (CDC, Centers for Disease Control and Prevention) recomiendan dos modelos de movimiento para los estadounidenses sanos adultos.

1. 30 minutos de actividad física moderada, 5 días a la semana.

2. 20 minutos de actividad física intensa, 3 días a la semana, o una combinación de actividad moderada e intensa.

HÁBITOS DE ACTIVIDAD FÍSICA

¿Recuerdas? Incorporar hábitos es sencillo siempre y cuando encuentres algo que te proporcione una recompensa, un sentido. Por ello es importante que realices aquellas actividades que te hagan disfrutar para ser constante en el tiempo e incorporar definitivamente el hábito, sacándoles el máximo partido. Busca actividades, ejercicios o deportes que te generen recompensas, que te hagan disfrutar y gozar. Puede ser andar, bailar, levantar pesas, hacer senderismo, montar en bici, practicar HIIT (entrenamientos en intervalos de alta intensidad), hacer *crossfit*, subir montañas y escaleras, bajar cuestas, elíptica… Todo lo que implique movimiento será bienvenido a tu vida; todo lo que te haga moverte será un hábito ganador que te acercará al objetivo tan deseado de mejorar tu salud.

Te dejo algunas consideraciones interesantes a tener en cuenta:

- Elige actividades que se ajusten a tus horarios, preferencias y condición física.

- Si llevas mucho tiempo inactivo, consulta con un médico antes de ponerte en marcha.

- Valora la opción de contratar a un profesional cualificado que te ayude en el proceso.

- Recuerda que siempre debes calentar antes de realizar ejercicio.

- Hidrátate siempre, sobre todo si realizas mucho volumen de trabajo, muy intenso o a altas temperaturas.

- Trabaja progresivamente, de menos a más, con pequeños objetivos que te motiven.

Dicho esto, empecemos con los hábitos.

NO HAY ASCENSORES QUE VALGAN

A partir de ahora tienes prohibido coger un ascensor, a no ser que vivas o trabajes en la planta 50 del edificio más alto de la ciudad.

Los ascensores están muy bien, ya que facilitan la vida a las personas mayores con problemas biomecánicos o con discapacidades, pero si tú eres una persona sana y sin problemas tienes que subir por las escaleras, ya que así sumarás puntos de vida.

Piensa en tus músculos y articulaciones como en los engranajes de una máquina. Si no se usan, se oxidan y estropean, y hay que llevarlos al taller para que vuelvan a funcionar correctamente. En tu caso pasa igual: no dejes que se oxiden y no le des un motivo a tu cuerpo para no funcionar de forma óptima.

Aprovecha todas las escaleras que te encuentres: subir escaleras te proporcionará un gran estímulo muscular y cardiovascular que te ayudará a ponerte en forma y a mejorar tu salud y tu tren inferior.

RETO

Siempre que sea posible, trata de usar escaleras en lugar del ascensor, a no ser que sea una planta muy alta o una lesión te lo impida. ¡Escalera que veas, escalera que subes!

DIEZ MIL PASOS DIARIOS

La idea es que te muevas más a lo largo del día, porque tienes dos piernas para algo más que para sentarte y levantarte del sofá.

Las largas caminatas han sido nuestro modo natural de vida desde hace cerca de 200.000 años. Nuestros ancestros necesitaban cazar para poder alimentarse, y podían pasarse horas y horas andando o corriendo a intensidad moderada y, muy a menudo, a intensidad máxima. Después de todo, trataban de "cazar" su comida, actividad que ya no realizamos hoy en día, puesto que lo máximo que "cazamos" es algún alimento ultraprocesado en el supermercado.

Si a esta falta de actividad física en nuestros días le sumamos la masiva producción de alimentos (la mayoría de ellos innecesarios) y la fácil disponibilidad de los mismos en los supermercados, es normal que los pobladores de nuestro mundo sigan engordando y que cada vez haya más casos de obesidad infantil.

Para evitar el mal del sedentarismo y disfrutar de un mejor estado de salud, la OMS recomienda que demos 10.000 pasos diarios. A primera vista puede parecer muy difícil, pero una vez que te ves andando, no es tanto tiempo (una hora y tres cuartos en total, aproximadamente). Este hábito es fantástico, y lo puedes combinar con el de subir escaleras mientras caminas, matando así dos pájaros de un tiro.

Anda para ir a comprar, para ir a trabajar (si el trabajo no está muy lejos), para sacar más veces a tu perro, para hacer los recados, para visitar a tu abuela, etc. Aprovecha los fantásticos beneficios que tiene caminar para tu cuerpo y mente. Si además puedes caminar rodeado de naturaleza, árboles, vegetación, mar... ¡mucho mejor!

RETO

Hazte con un podómetro o descárgate una aplicación móvil y contabiliza los pasos que das cada día. Trata de llegar a los 10.000 pasos diarios, pero no hace falta que los hagas de un tirón: la idea es que acabes el día habiendo dado 10.000 pasos.

LA REGLA DEL 1

Si te cuesta hacer ejercicio o entrenar de forma más planificada, es posible que pasar de cero a cien sea muy complicado para ti. Te propongo establecer un plan de choque el primer mes para romper ese bloque. ¿Cómo? Pues fijando un día a la semana para entrenar. Sí, solo un día. Eso sí, asegúrate de que ese día, llueva, truene o nieve, haces ejercicio. Sin excusas. Si te llama el presidente para tomar café justo el día y la hora que entrenas, le dices que no. ¡Le das las gracias y le cuelgas!

Una vez te acostumbres a ese día a la semana, prueba a introducir otro. Así, a los pocos meses te puedes ver haciendo 2-3 días de ejercicio a la semana y no te habrá costado un gran esfuerzo. Dale prioridad máxima a crear el hábito y la frecuencia de entrenamiento quedará en un segundo plano, por lo menos al principio.

Nota: aquí no entran los 10.000 pasos diarios. Aquel hábito hace referencia al movimiento, a la actividad física; éste tiene que ver con el ejercicio más estructurado, como ir al gimnasio, salir a correr, hacer algún deporte, etc.

RETO

Fija un día y una hora a la semana para hacer un entrenamiento más estructurado y organizado (salir a correr, ir al gimnasio, hacer *spinning*...). ¡Compromiso al 100%!

MAÑANAS SALUDABLES

Lo importante es que hagas ejercicio, da igual a la hora del día en que lo hagas.

—Entonces, ¿por qué dices por la mañana?

Tiene su explicación: si te cuesta incorporar el ejercicio en tu vida, "obligarte" a hacerlo por la mañana te evitará una gran batalla mental con tu fuerza de voluntad a lo largo del día. ¡Tarea realizada!

En cambio, si dejas pasar las horas y vas posponiendo el momento de "enfrentarte" al ejercicio, es más probable que acabes por no hacer nada. Yo he pasado por esta situación muchas veces. Días especialmente difíciles en los que simplemente no conseguía reunir la suficiente energía y motivación para ir al gimnasio, días en los que tenía de todo menos fuerza de voluntad, y me iba diciendo una y otra vez en una hora empiezo, más tarde, mejor por la noche... y al final me acostaba sin haber hecho nada.

La fuerza de voluntad es más alta por la mañana. No dejas tanto margen al error, no le das tiempo al tiempo para que te cambie el humor o pase algo que te quite las ganas de hacer ejercicio. En cambio, hacerlo temprano, por la mañana, aumentará tu compromiso y actuarás como un reloj: me levanto y hago ejercicio.

Anticípate, haz ejercicio temprano y deja el resto del día para otras cosas (ese ya no será tu problema).

—Pero, ¿todos los días?

Por ahora, eso no es tan importante… Céntrate en crear el hábito y más adelante entraremos más a fondo.

ENTRENA LOS MÚSCULOS

No asocies músculo a estética. Tampoco asocies músculo a culturistas. El músculo es mucho más. Es salud.

Tener suficiente cantidad de masa muscular hará que tu metabolismo esté más acelerado y tus huesos y articulaciones más protegidos, evitando así muchas enfermedades, aparte de atrofia muscular y sarcopenia, en la tercera edad.

Pero, ¿qué puede pasar? Que si dejas elegir a tu cuerpo, no desarrollará masa muscular, ya que mantener activo ese músculo le supone un gran gasto de energía; por lo tanto, hay que darle un motivo para desarrollar la masa muscular.

—¿Y cómo le doy un motivo para eso?

Pues hablando seriamente con él y, mejor aún, añadiendo cargas externas semana tras semana. O, para que me entiendas mejor, hacer ejercicios resistidos con pesas o con tu propio cuerpo que impliquen un estímulo muscular suficiente.

Piénsalo de esta manera. Se avecina una tormenta, la mayor tormenta de los últimos tiempos. Tú tienes una casa de paja, por lo que es muy probable que todo se vaya volando en un segundo. Si te anticipas y construyes una casa de ladrillo, casi con total seguridad tu casa aguantará firme frente a la tormenta. Tu cuerpo es igual; si te centras en mantener y generar masa muscular, estarás más protegido frente a las adversidades.

Este hábito puede ir de la mano con la regla del 1. Puedes dejar ese único día de ejercicio para hacer un buen entrenamiento que implique trabajo muscular. Por cierto, si quieres ver un óptimo desarrollo muscular, asegúrate de trabajar todo el cuerpo (cuando digo todo, es todo) y hacer por lo menos 2-3 series de entre 8 y 12 repeticiones.

RETO

Entrena los músculos de forma más específica al menos una vez a la semana (puedes usar aquí el hábito de la regla del 1).

Rutinas de entrenamiento:

- **En casa:** https://www.delante de entrenasalud.es/entrenamiento-en-circuito-en-casa-sin-material/; entrenasalud.es/rutina-hipertrofia-3-dias-para-ganar-masa-muscular/ : entrenasalud.es/en-forma-desde-casa

- **Gimnasio:** https://www.entrenasalud.es/rutina-hipertrofia-3-dias-para-ganar-masa-muscular/

- **Curso en forma desde casa:** https://www.entrenasalud.es/en-forma-desde-casa

En la página anterior podrás ver un ejemplo de rutinas.

CONTROLA LA INTENSIDAD

...O la intensidad te controlará a ti. ¡Y no quieres que pase eso, créeme!

Si no controlas la intensidad durante el entrenamiento, será tan ineficaz (e incluso desagradable) que te desmotivarás al no obtener recompensas. No solo no obtendrás recompensas, sino que tendrás malas experiencias, además de frustración y desmotivación.

La intensidad es clave y la podemos definir como la medida del esfuerzo que comporta el trabajo desarrollado durante el ejercicio, o como la fuerza del estímulo nervioso empleado durante el entrenamiento.

Si no puedes correr porque se te disparan las pulsaciones, anda. Si no puedes levantar 15 veces un peso en el gimnasio, levántalo 10 veces o quita peso. Si no puedes hacer 20 dominadas, haz 10, o prueba con otro ejercicio como jalón. Adáptate a las circunstancias y a tu condición física, pero no cometas el error de desmotivarte, porque sabes que en el fondo no lo estás haciendo bien: ¡no estás controlando la intensidad!

Tampoco hagas la jugada de apuntarte a *spinning* e intentar llevar el nivel de la clase que lleva seis meses entrenando sin parar. Controla la intensidad, adáptate y anticípate, sé consciente de tus limitaciones y no te compares con nadie.

RETO

Cada vez que hagas algún tipo de entrenamiento cardiovascular, tienes que controlar la intensidad, o bien con pulsómetro o bien con la prueba de hablar durante el entrenamiento. Si no puedes mantener una conversación porque te ahogas, baja la intensidad y recupera pulsaciones.

Bien, tengo una buena noticia y una mala. ¿Cuál quieres que te diga primero?

—Primero la mala.

Te toca limpieza profunda de tu casa, una vez al mes. Limpieza profunda significa barrer, fregar, quitar polvo, hacer que todo reluzca y limpiar armarios y cajones. Dependiendo de cómo esté tu casa, te puede llevar una hora… ¡o un día! Pon música motivante y piensa que estarás limpiando, pero también haciendo mucha actividad física y gastando un gran puñado de calorías.

Ahora toca la buena noticia. Cada vez que limpies tu casa a fondo, concédete un premio. Ve a pasar el día al centro comercial, cómprate algún capricho… y añade una gran cantidad de pasos a tu día.

¿Ves que bien se complementan estas dos actividades? Incorpóralas y verás qué manera tan exquisita y entretenida de sumar salud.

RETO

Por cada limpieza a fondo que hagas de tu casa, permítete el lujo de escaparte un día de compras. Aprovecha y suma una gran cantidad de pasos. ¿Qué tal limpiar la última semana de cada mes e irte de compras la primera semana del siguiente?

OBJETIVOS

Si quieres incorporar el hábito de hacer ejercicio en tu vida, una buena idea es planificar y ponerte objetivos. Como parte de un buen hábito, creo que es importante centrarse en los objetivos. ¿Por qué es tan importante ponerse objetivos, y que estos sean concretos, precisos, específicos y medibles? Primero, para saber qué camino tomar para mantener alta la motivación y poder medir el progreso y saber si las cosas van como deberían. Lo que no se mide no se puede mejorar. Además, estos objetivos deben ser realistas para ti, que los puedas alcanzar poniendo para ello unos medios razonables.

A continuación vas a ver algunos ejemplos de objetivos que cumplen las condiciones:

- Perder 5 kg en un mes

- Participar en una carrera de 5 km y terminarla en menos de 25 minutos

- Aumentar 1 kg de masa muscular

- Participar en una prueba de triatlón y finalizarla

Si ya tienes fijado un objetivo concreto, a continuación tendrás que elegir las acciones, las tareas y los hábitos que te lleven a conseguirlo. Por ejemplo:

- Perder 5 kg en un mes

  Crear déficit energético, apuntarse al gimnasio, comer de forma más saludable...

- Participar en una carrera de 5 km y terminarla en menos de 25 minutos

  Correr 2-3 veces a la semana a diferentes intensidades...

- Aumentar 1 kg de masa muscular

  Crear superávit calórico, levantar pesas en el gimnasio, trabajar todo el cuerpo...

- Participar en una prueba de triatlón y finalizarla

  Entrenar todas las semanas haciendo natación, carrera y bicicleta

RETO

Te reto a que ahora fijes un objetivo para los próximos meses. Una vez que lo hayas determinado, solo tendrás que dar los pasos necesarios para lograr ese objetivo.

SEXO

El sexo es una actividad tan natural como la vida misma. Todo el mundo animal lo practica por puro instinto reproductor, para mantener la especie. Nosotros, los seres humanos (también animales), lo practicamos también por placer y diversión.

La actividad sexual está estrechamente relacionada con la salud, por lo que cada vez está más reconocida como un hábito importante para mejorar la salud, la calidad de vida a largo plazo y la longevidad. Por tanto, practicar sexo es un fantástico hábito que puedes y debes incorporar en tu vida, ya que los beneficios no solo tienen lugar a nivel fisiológico, sino también a nivel mental.

- Fortalece el sistema inmunológico al elevar los niveles de anticuerpos
- Disminuye el estrés y previene la ansiedad
- Ayuda a perder grasa (se pierden calorías y se liberan neurotransmisores y hormonas)
- Produce sensación de bienestar
- Ayuda a descansar mejor
- Mejora la salud cardiovascular (sobre todo en mujeres)

—Muy bien, pero ¿cuánto sexo hay que practicar para ver beneficios?

Siempre que sea de calidad y te encuentres cómodo y a gusto, el sexo aporta beneficios al instante, sobre todo a nivel mental, psicológico y hormonal. Pero para mejorar parámetros de salud más generales, como resistencia y potencia cardiovascular, y fortalecer el sistema inmunológico, tienes que practicar sexo de forma más frecuente: una o más veces a la semana.

RETO

Trata de practicar sexo una vez a la semana (dentro de tus posibilidades). Es una estupenda manera de perder un gran número de calorías, estar en forma y mejorar la salud.

TRABAJA DE PIE

Si tienes la posibilidad porque tu trabajo te lo permite, ¡trabaja de pie! Te puede parecer una locura, pero trabajar de pie tiene muchas ventajas si lo comparas con trabajar sentado.

Piensa en las horas que trabajas sentado al cabo del día, a la semana, al mes, al año... Hagamos un simple cálculo en forma de ejemplo:

Imagina que trabajas 8 horas al día sentado durante 5 días a la semana. Son 40 horas semanales que estás sentado. Para y reflexiona: ¿cuántas horas de ejercicio a la semana estás haciendo para compensar todas esas horas sentado, probablemente en posición encorvada? Seguimos: 40 horas semanales por 4 semanas hace un total de 160 horas al mes, que multiplicadas por 12 meses serían 1.920 horas al año en posición de sentado. Todo eso sin contar las horas de sueño que estamos tumbados, los momentos de sofá viendo la tele o las horas que pasamos sentados en cualquier otro sitio con el móvil, comiendo, tomando café, etc.

Créeme si te digo que no estamos evolutivamente preparados para estar tantas horas sentados. Estar de pie es fisiológica y biológicamente más coherente y natural. No produce tantos desajustes biomecánicos, no acorta tanto los músculos, no genera tantas descompensaciones y no produce tantos desequilibrios a nivel muscular. Estar de pie mantiene activados la mayor parte de los músculos y favorece el trabajo del glúteo, ya que tiene que este estar activo para mantener la postura erguida. Entre las desventajas de estar mucho tiempo sentado se encuentra la amnesia glútea o "glúteo dormido", que se atrofia por tantas horas de aplastar el culo sobre una superficie plana. Es más, si tu nivel de condición física ya es elevado y quieres matar dos pájaros de un tiro, ¿por qué no intentas trabajar mientras andas? Hazte con una cinta de andar-correr y ponla debajo de tu escritorio plegable. ¡Verás que buenas sesiones de trabajo en movimiento! Toda una maravilla.

RETO

Si tu trabajo te lo permite, empieza a incorporar este hábito un día a la semana. Poco a poco podrás ir aumentando. Ejemplo de protocolo:

- Primera semana: 1 hora sentado – 30 minutos de pie
- Segunda semana: 1 hora sentado – 1 hora de pie
- Tercera semana: 1 hora sentado – 1 hora de pie
- Cuarta semana: 30 minutos sentado – 1 hora de pie
- Quinta semana: 30 minutos sentado – 2 horas de pie
- …

LEVÁNTATE MÁS A MENUDO

Este hábito está en la línea del anterior. Si tienes un trabajo sedentario y no puedes trabajar de pie durante la mayor parte de tu horario laboral, haz un pacto contigo mismo y comprométete a levantarte de la silla cada cierto tiempo. Programa una alarma si hace falta pero incorpora en cualquier caso el hábito de levantarte de la silla varias veces dentro de tu jornada laboral.

Es interesante hacer pequeños descansos, como mínimo cada hora, y aprovechar para estirarte, dar unos pasos e incluso hacer algo de ejercicio. Esos descansos te van a ayudar a mejorar el rendimiento en tu trabajo, a evitar el estrés y a mejorar tu salud tanto física como mental.

RETO

Programa una alarma que te avise cada 60 minutos y levántate sin excusas. Aprovecha y estira, camina, salta, da un paseo... La idea es que desconectes y recuperes la energía y la concentración.

Nutrición y alimentos

La obesidad es un problema multifactorial y creciente a escala mundial. Ninguna administración sanitaria ha conseguido revertir su tendencia en los últimos años; en cambio, y en paralelo, ha crecido un negocio de ética dudosa a escala global, cuyo mensaje se centra en la facilidad, la seguridad, la comodidad y la eficacia de sistemas, métodos, dietas, alimentos y suplementos para perder peso.

Según el Estudio Nutricional y de Hábitos Alimentarios de la Población Española (ENPE) de 2014-2015, la prevalencia de sobrepeso en España es del 40% y la de la obesidad, del 21,6%. Los niños y los adolescentes no se escapan: 25% de sobrepeso y 15% de obesidad, es decir, de cada 10 niños, dos tienen sobrepeso y uno obesidad. Se ha producido un incremento de casi el 10% de

los valores de sobrepeso y obesidad en los últimos quince años, que no muestra indicios de ser revertido, sino todo lo contrario.

Por desgracia, la mala nutrición es un negocio para muchas empresas, fenómeno del que tienes que ser consciente para tomar mejores decisiones sobre tu alimentación. La nutrición es la base para que puedas tener salud, es la gasolina que necesitas para dar lo mejor de ti y no quedarte tirado a mitad de camino o romperte. Si no te alimentas bien, no vas a llegar al final del día en buenas condiciones o, directamente, no podrás ni moverte del sofá. No tendrás energía, arrancarás el motor y se te calará. Si quieres gozar de energía y buen humor, y no llegar al final del día con la batería totalmente consumida, necesitas adquirir unos buenos hábitos de alimentación.

Pero antes me gustaría explicarte algunos conceptos que creo que son importantes que entiendas antes de entrar de lleno en los hábitos nutricionales.

- **Nutrición:** conjunto de procesos mediante los cuales el organismo incorpora, transforma y utiliza aquellas sustancias químicas (nutrientes) presentes en los alimentos.

- **Nutrientes:** sustancias que necesitamos para vivir y crecer en buenas condiciones, ya que desempeñan funciones esenciales para el organismo, como proporcionar energía, regenerar y reparar células y tejidos, regular el metabolismo, etc. Se dividen en macronutrientes (carbohidratos, proteínas y grasas) y micronutrientes (vitaminas y minerales).

- **Alimentación:** aporte de sustancias (nutrientes) presentes en los alimentos y que conforman nuestra dieta o, mejor dicho, el patrón alimentario diario.

- **Alimento:** cualquier sustancia de origen vegetal, microbiano o animal que contiene nutrientes que se ingieren para subsistir. Aquí se incluye cualquier producto, procesado o no, que podamos digerir, ya sea con fines nutricionales, sociales o psicológicos.

Una persona puede subsistir a base de una mala alimentación, aunque probablemente estará desnutrida. Si quieres mejorar tu salud y encontrarte sano, vas a tener que adquirir unos buenos hábitos nutricionales.

Los alimentos son mucho más que un solo nutriente. Hay que pensar en los alimentos de forma global y entenderlos dentro de un contexto o de una rutina alimentaria. En el grupo de personas donde te vas a posicionar no se cae en la trampa de pensar que un alimento, por sí solo, es perjudicial o milagroso, engorda o adelgaza, o te hace enfermar o sanar. Eso son solo cuentos de hadas y los dejamos para las personas que están al otro lado del muro.

—Entonces, ¿el pan no engorda?

Depende. Lo que quiero que entiendas es que hay que darle toda la importancia al contexto global de tu alimentación, y no solo a un alimento determinado. Una pizza, por muy grande que sea, no te va a perjudicar o engordar si el global de tu alimentación es saludable, si eres una persona activa que hace ejercicio. ¿Entiendes? Sobre todo, porque cuanta más actividad física o más deporte hagas, mayor será tu gasto calórico, más acelerado estará tu metabolismo y mayor será el déficit energético generado.

Yo uso mucho el siguiente ejemplo. Si llevas todo el día en ayunas e ingieres una pizza de 400 kilocalorías ¿crees que te va a engordar la pizza? Si tu tasa metabólica basal para mantener el peso es de 2.000 kilocalorías, te encontrarías al final del día con un déficit energético de 1.600 kilocalorías. ¿Entiendes?

—Es decir, no es que la pizza engorde, sino que lo que engorda es el total calórico diario.

En resumidas cuentas, así es, aunque también entran en juego otros factores como los desequilibrios hormonales y la epigenética.

Otro cosa diferente es que esa pizza te aporte la suficiente densidad nutricional como para que sea sana o no, pero si el conjunto de tu alimentación es correcto y equilibrado, puedes estar seguro que esa pizza no te perjudicará lo más mínimo. Es más, se ha demostrado que el consumo de productos muy procesados es mucho menos dañino en personas activas y deportistas que en personas sedentarias. Tiene sentido, ¿no?

Por tanto, y para finalizar esta explicación, grábate a fuego la siguiente afirmación.

Ahora bien, ¿qué puedes hacer para motivarte y alimentarte de forma saludable? ¿Y si te dijera que una alimentación sana y equilibrada tiene muchos más beneficios más allá de lo que crees?:

- Proporciona la energía necesaria para mantener la actividad durante todo el día

> **NINGÚN ALIMENTO POR SÍ SOLO TIENE LA CAPACIDAD DE CAMBIAR TU COMPOSICIÓN CORPORAL, TU SALUD NI TU RENDIMIENTO.**

- Aporta los nutrientes que el cuerpo necesita para funcionar correctamente

- Forma un escudo en el organismo, al que llamamos "salud inmunológica", que previene muchísimas enfermedades (diabetes, obesidad, riesgo cardiovascular, etc.)

- Proporciona antioxidantes, fotoquímicos, vitaminas y minerales que ayudan al enlentecimiento del envejecimiento y al óptimo funcionamiento del metabolismo

- Ayuda a mantener una composición corporal saludable y estética

Vamos a ver ahora los hábitos de nutrición. Prepara un té y coge papel y lápiz, ¡que empezamos!

HÁBITOS DE NUTRICIÓN

Cuando hablábamos del ejercicio físico, te he explicado que si quieres de verdad adquirir el hábito, tienes que buscar aquellas actividades que te generen recompensas y te hagan disfrutar. Con la nutrición pasa exactamente lo mismo.

Como comprenderás, no vas a conseguir la constancia en el cuidado de tu alimentación si llevas a cabo prácticas que no te hacen disfrutar y que no son acordes con tus valores e ideales. Acabarás buscando el camino rápido, es decir, dietas "milagrosas" que empeorarán tu salud (aunque te veas mejor en el espejo) y provocarán el temido efecto rebote. Al final, te desmotivarás y serás una víctima más que se unirá al club de los "de algo hay que morir".

Antes de empezar con los hábitos, quiero comentar de forma muy simple algunas consideraciones previas a tener en cuenta:

- Ve olvidándote de la palabra "dieta", ya que seguramente te engorde más que adelgace (más adelante verás por qué).

- Busca prácticas, hábitos y estrategias saludables que generen la suficiente adherencia y constancia; es la principal clave del éxito.

- El control de peso no debería ser el objetivo a la hora de cambiar tus hábitos nutricionales, ya que genera falsas expectativas y resultados deficientes; es mejor que te centres en los hábitos que estás a punto de descubrir.

- Si alguien te dice que tiene un remedio fácil, cómodo y divertido para adelgazar, lo único que demuestra es que quiere hacer negocio con tu desesperación, o simplemente que no sabe de lo que habla. Huye del marketing alimentario.

- Todo lo que verás aquí serán consejos generales para personas que no se decantan por un estilo concreto de alimentación, que no tienen ningún tipo de intolerancia y que no sufren ninguna enfermedad. Por lo tanto, las personas con algún problema (celiaquía, enfermedad de Crohn, colitis ulcerosa), intolerancias a la lactosa, a la fructosa, a la glucosa o a estilos de alimentación concretos, como veganismo o vegetarianismo, tendrán que consultar a su médico en caso de duda.

NO MÁS DIETAS EN TU VIDA

Me gustaría empezar hablándote de las dietas. Creo que tienen más desventajas que ventajas, y enseguida entenderás por qué. La palabra "dieta" proviene del latín *diaeta*, y esta, a su vez, del griego *dayta*, que significa "régimen de vida".

—Régimen… empezamos mal. Esa palabra me transmite sufrimiento, ¡pasar hambre!

Efectivamente, esa palabra suele asociarse a restricciones, prohibiciones, limitaciones. Y es que solo hay que hacer una pequeña búsqueda por Internet, para ver lo que significa la palabra *régimen*.

—Lo he buscado. Conjunto de normas o reglas que reglamentan o rigen cierta cosa.

Tú lo has dicho. El régimen alimentario también tiene que ver con esta frase. Por lo tanto, la palabra dieta se sigue asociando a régimen, lo que a su vez tiene que ver con normas, reglas, pautas estrictas y protocolos a seguir.

Yo no estoy a favor de las dietas en absoluto. ¿Por qué piensas que tanta gente hace dietas y las abandona al cabo de poco tiempo? ¿Por qué tanta gente recupera todo el peso perdido, y más, tras hacer una dieta? ¿Por qué tanta gente hace periodos de dieta y de no dieta? Porque una dieta no es sostenible. No estamos sabiendo enfocar correctamente la situación.

No es cuestión de hacer dietas, sino de aprender a alimentarnos para nutrirnos y a estar sanos de verdad. Cuando tienes la suficiente educación nutricional, no necesitas recurrir a dietas ni ponerte a régimen, porque tienes los suficientes conocimientos, recursos y herramientas para saber gestionar y controlar tu alimentación de forma adecuada. Por lo tanto, te animo a que, como yo, te olvides de la palabra *dieta* y aproveches todos los hábitos de nutrición que vas a ver a continuación para que los aprendas y los apliques en tu vida para no tener que seguir más dietas.

Si hablamos de los tipos de dietas que hay, daría para otro libro. Pero te lo resumo brevemente. Hay dietas milagrosas sin fundamento científico alguno, que ponen en riesgo tu salud, como la Atkins, la Dukan, la disociada, la alcalina… Huye de estas dietas. Luego hay otras, que tienen que ver más con las creencias y los ideales de cada persona, y que no son perjudiciales si se llevan a cabo con cabeza. Dentro de este grupo se encuentran la vegetariana, la vegana, la crudivegana, la macrobiótica, la paleolítica, la mediterránea y la ancestral, entre otras.

Cada una de estas dietas tiene sus pros y sus contras. Lo más inteligente es que te alejes de los fanatismos, ya que cada persona te intentará convencer de que su estilo de alimentación es el mejor, lo cual no es cierto. Si no quieres concretar tu alimentación en una dieta, te recomiendo que te quedes con lo mejor de cada una y huyas de los extremismos. ¡Educación nutricional! Esa es la clave.

RETO

Comprométete conmigo a no hacer más dietas en tu vida, a no ser que las necesites por algún problema o enfermedad muy concretos. Permanece atento a los siguientes hábitos y seguro que empiezas a seguir el camino correcto.

EVITA LOS ALIMENTOS ULTRAPROCESADOS

Ultraprocesado, como su nombre indica, es todo aquel producto que está procesado en exceso. La verdad es que la industria alimentaria ha sabido crear unos productos atractivos muy apetitosos y deliciosos, sobre todo para niños y adolescentes, pero por desgracia nada saludables. Este tipo de productos está contribuyendo a aumentar los casos de sobrepeso, obesidad y enfermedad cardiovascular que tenemos hoy en día en todo el mundo, que siguen creciendo. Según un estudio publicado en la revista *Obesity Reviews*, su consumo ha aumentado en más del 50% a lo largo de los últimos años, lo que constituye un problema de primera magnitud a nivel mundial.

Los alimentos ultraprocesados suelen destacar por tener una gran cantidad de ingredientes, ninguno de ellos demasiado saludable.

- Harinas refinadas (sobre todo trigo)
- Azúcar añadido (también glucosa, jarabe, dextrosa, miel, agave...)
- Aceites y grasas refinadas (girasol, maíz, soja...)
- Potenciadores de sabor (glutamato monosódico, E-621)
- Aditivos
- Nitritos

Además, estos productos son adictivos debido a su alta palatabilidad (textura jugosa, potenciación del sabor...), que induce a repetir su consumo una y otra vez. Si te quieres un poquito, y quieres ver cómo mejora tu salud, anota la siguiente afirmación por todos los rincones de tu casa y grábatela a fuego en tu cabeza.

LOS ALIMENTOS ULTRAPROCESADOS SON ADICTIVOS Y NO APORTAN NADA EN MI ALIMENTACIÓN DIARIA.

RETO

Estate un mes sin productos ultraprocesados, es decir, sin incluir ninguno de estos alimentos en tu alimentación diaria.

PLATO SALUDABLE DE HARVARD

¿Quieres educación nutricional? Pues aquí va: el plato saludable de Harvard o, lo que es lo mismo, lo que tiene que contener un plato para que sea saludable y esté equilibrado.

EL PLATO PARA COMER SALUDABLE

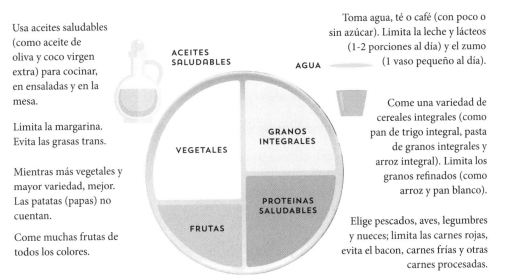

Usa aceites saludables (como aceite de oliva y coco virgen extra) para cocinar, en ensaladas y en la mesa.

Limita la margarina. Evita las grasas trans.

Mientras más vegetales y mayor variedad, mejor. Las patatas (papas) no cuentan.

Come muchas frutas de todos los colores.

Toma agua, té o café (con poco o sin azúcar). Limita la leche y lácteos (1-2 porciones al día) y el zumo (1 vaso pequeño al día).

Come una variedad de cereales integrales (como pan de trigo integral, pasta de granos integrales y arroz integral). Limita los granos refinados (como arroz y pan blanco).

Elige pescados, aves, legumbres y nueces; limita las carnes rojas, evita el bacon, carnes frías y otras carnes procesadas.

Como puedes ver, el plato se divide en cuatro secciones: vegetales, frutas, granos integrales y proteína saludable. ¡Pero ojo! Esto no significa que todo el contenido tenga que estar en el mismo plato, sino que puede aplicarse al conjunto de una comida, con primer y segundo plato, y alguna fruta de postre.

En este plato saludable, creado por la Universidad de Harvard, se explica muy bien qué debe contener cada sección de un plato para que sea equilibrado, pero yo le voy a dar otro enfoque para que aprendas aún más sobre los macronutrientes.

CARBOHIDRATOS

Los carbohidratos contienen átomos de carbono, de hidrógeno y de oxígeno, y juegan un papel importante en el cuerpo humano, ya que proporcionan energía, ayudan a controlar y estabilizar la glucosa en sangre, participan en el metabolismo del colesterol y de los triglicéridos, favorecen la recuperación muscular gracias a la reposición de glucógeno muscular y hepático, etc.

Es importante que sepas que cualquier carbohidrato, bien sea una lechuga o un cereal, se metaboliza en tu cuerpo en forma de azúcares (glucosa, fructosa y fibra).

—Pues yo he oído que los carbohidratos son perjudiciales, engordan y que hay que evitarlos.

No es cierto. Cada alimento contiene macronutrientes, pero en función de la calidad de ese alimento, será más o menos recomendable para incorporarlo en tu alimentación diaria. Por lo tanto, el aspecto clave no es el macronutriente en sí, sino la calidad y el procesamiento que tenga el alimento en cuestión. Es decir, una fruta, que es un alimento rico en fructosa (carbohidrato), es saludable. Pero si esa fruta la concentras en un envase y le añades azúcar y saborizantes, tendremos un alimento ultraprocesado, rico en carbohidratos pero poco saludable. Igualmente, la avena es un cereal muy interesante y saludable, rico en carbohidratos. Sin embargo, si ese cereal lo encuentras en una caja junto a otros cereales, como trigo refinado, y otros compuestos, como azúcar, jarabes de glucosa, sal y potenciadores de sabor, tendremos un producto rico en carbohidratos poco saludable. ¿Entiendes?

El problema no son los carbohidratos en sí, sino el contexto que rodea a ese macronutriente. Si quieres que tu plato sea saludable, busca principalmente carbohidratos complejos y almidones que proporcionen fibra, como verduras, cereales de grano entero, legumbres, semillas y, por supuesto, frutas, que, aunque se consideran carbohidratos simples (fructosa), son muy saludables y aportan gran cantidad de micronutrientes.

PROTEÍNAS

Las proteínas son otro de los tres macronutrientes y cumplen funciones cruciales en prácticamente todos los procesos biológicos. Funcionan como hormonas, enzimas o anticuerpos del sistema inmunitario; forman parte de estructuras corporales, como el tejido conectivo, la piel, el pelo o la fibra muscular; transportan y almacenan otras moléculas, como el oxígeno; proporcionan soporte mecánico y protección inmune; transmiten impulsos nerviosos; controlan el crecimiento; generan movimiento, etc.

Las proteínas están formadas por unos compuestos orgánicos llamados aminoácidos. Imagina a cada uno de los aminoácidos como si fueran bloques que juntos forman una gran estructura (la proteína).

Si quieres ingerir proteínas de calidad, tendrás que asegurarte de que el alimento en cuestión tenga un elevado valor biológico o, lo que es lo mismo, que tenga la mayoría de aminoácidos esenciales.

—¿Y cuáles son esos aminoácidos esenciales? ¿Los hay no esenciales?

Efectivamente, y también semiesenciales. En la página siguiente te muestro una tabla para que lo entiendas mejor.

Los aminoácidos esenciales son nueve, y son realmente importantes, ya que el organismo no puede fabricarlos por sí mismo y tienen que ser ingeridos. Algunas de las fuentes de proteínas de mayor valor biológico, y por tanto de mayor calidad, son las siguientes:

- Carne
- Mariscos
- Aves de corral
- Huevos

- Suero de leche

- Soja

- Quinoa y trigo sarraceno

Otras fuentes de proteínas vegetales, como las alubias y las nueces, se consideran incompletas, ya que carecen de uno o más aminoácidos esenciales. Sin embargo, si sigues una alimentación basada en alimentos de origen vegetal, su combinación hará que consigas unos niveles óptimos de aminoácidos esenciales.

ESENCIALES	SEMIESENCIALES	NO ESENCIALES
• Valina • Leucina • Isoleucina • Histidina • Lisina • Metionina • Triptófanos • Fenilalanina • Treonina	• Cisteína • Arginina • Glutamina • Prolina • Glicina • Taurina	• Alanina • Asparagina • Ácido aspártico • Ácido glutámico • Serina

GRASAS

Las grasas son una parte esencial de la alimentación humana, ya que son imprescindibles para disfrutar de una correcta salud. Son una gran fuente de energía y ayudan a absorber algunas vitaminas y minerales, y a construir membranas celulares. Además, son esenciales para la correcta coagulación de la sangre y el movimiento muscular. Eso sí, ten en cuenta que hay diferentes tipos de grasas y unas son mejores que otras; dentro de cada tipo de grasa, su bondad dependerá del origen y la calidad del alimento en cuestión.

De todos modos, hay una cosa que es evidente: las grasas trans no son saludables. Estas grasas son el resultado de un proceso conocido como hidrogenación, que se utiliza para convertir los aceites saludables en sólidos y evitar así que se rancien. Huye de este tipo de grasas, que suelen encontrarse en los alimentos ultraprocesados (galletas, margarinas, pasteles, patatas de bolsa, etc.).

Las grasas saturadas han tenido muy mala fama en las últimas décadas, ya que se les atribuía que eran las principales causantes de enfermedades cardiovasculares y de obesidad. Sin embargo, en estos últimos años han salido a la luz un gran número de evidencias científicas desmintiendo este mito. Las grasas saturadas de alimentos como el coco, el queso, el huevo, la leche entera, etc., son recomendables para el consumo diario. En cambio, las grasas saturadas en un contexto de azúcares, harinas refinadas y aditivos (es decir, fuera de la matriz alimentaria natural) no serán nunca recomendables.

Vas entendiendo la película, ¿no?

Las grasas mono y poliinsaturadas son totalmente seguras y saludables, siempre y cuando no se separen de su matriz natural. Eso sí, dentro de las poliinsaturadas es importante que haya un correcto equilibrio omega 3 y 6, ya que en la dieta occidental tendemos a abusar de los omega 6 (aceites vegetales principalmente), que pueden provocar inflamación aguda y crónica.

Buenas grasas saludables son las siguientes:

- Aceite de oliva virgen extra
- Aguacate
- Frutos secos
- Pescados azules
- Semillas

COME VERDE

Sí, voy a hacer hincapié en la importancia de comer verdura. ¡No te libras!

Si ya lo haces, perfecto. Pero si no lo haces, ¡presta atención! ¿Quieres estar sano y prevenir el máximo número de enfermedades posible? Tienes que comer verde... te guste o no te guste. Es indiferente. Tampoco creo que disfrutes mucho aseándote todos los días, y sin embargo lo haces ¿verdad? Asegúrate de que comes algo verde todos los días, y por verde no me refiero a un bollo de color verde. Me refiero a verduras y hortalizas (lechugas, espinacas, acelgas, apio, berros, brócoli, canónigos, col, etc.).

Lo ideal sería que en cada una de tus comidas hubiera alguna ración de verdura, como ya viste en el plato saludable de Harvard. Pero de no ser así, asegúrate al menos de que estás ingiriendo una ración al día de verduras y hortalizas. Si no lo haces, es probable que tengas un déficit de micronutrientes y que este déficit conlleve algún tipo de problema de salud, que puede desembocar en enfermedades más graves o en la falta de suficiente energía para rendir

en todas las tareas del día a día (trabajo, estudio, deporte, sociabilidad, desarrollo personal, etc.).

AYUNO INTERMITENTE

El ayuno intermitente no es algo nuevo: se lleva practicando desde la más remota antigüedad por pueblos de todo el mundo. De hecho, nuestros antepasados realizaban ayunos, no porque quisieran, sino porque no tenían más remedio.

El ayuno intermitente es un protocolo o una estrategia que se basa en alternar periodos de ayuno de 14-16 horas con periodos de ingesta normal de alimentos, con el objetivo de reducir la ingesta calórica diaria y semanal. Pero además, el ayuno aporta muchos beneficios:

- Es una estrategia sencilla, práctica y cómoda que, aparte de potenciar el metabolismo, hace que quien lo practica mejore su productividad al no perder tanto tiempo comiendo.

- Regula la ansiedad por la comida y ayuda a diferenciar entre apetito, antojo y gula.

- Mejora la sensibilidad a la insulina y estabiliza la glucemia en sangre.

- Disminuye el riesgo de enfermedades cardiovasculares, diabetes y otras enfermedades crónicas, y también la presión sanguínea y los triglicéridos.

- Aumenta la producción de la hormona del crecimiento, lo que favorece una mejor composición corporal.

- Promueve una mayor oxidación de grasas.

- Ayuda a tener mayor fortaleza y control mental y emocional.

- Disminuye los marcadores de inflamación.

- Promueve la autofagia (regeneración celular).

- Limita el crecimiento de células cancerígenas.

Los protocolos son muy sencillos.

- El ayuno de 12 horas lo hacemos prácticamente todos, ya que las horas de sueño ocupan gran parte de esas horas; lo único que tendrías que hacer es retrasar un poco más el desayuno.

- El ayuno 16/8 consiste en restringir el consumo de calorías durante un periodo de 16 horas, seguido de 8 horas de ingesta normal. Lo normal es no comer nada tras la cena hasta la comida del día siguiente, saltándote el desayuno.

- El ayuno 24/24 consiste en ayunar durante 24 horas y seguir al día siguiente con tus rutinas alimentarias normales. Este protocolo es solo para gente con experiencia.

Antes de practicar ayunos intermitentes, y a pesar de que son totalmente seguros, sería interesante que te hicieras un chequeo médico para constatar que todos tus parámetros biológicos son correctos. No realices ayunos si tienes tendencia a bajadas de azúcar o de tensión, si padeces estrés o ansiedad, o si sufres alguna enfermedad concreta.

Sea cual sea el protocolo que sigas, durante los ayunos no puedes ingerir nada sólido. Toma únicamente agua, té y café sin azúcar.

Sería interesante que hicieras algo de ejercicio o de actividad física de baja intensidad durante el ayuno para maximizar los beneficios y las recompensas hormonales. Tras el ayuno vuelve a tus hábitos y rutinas de forma completamente normal, sin ansiedad ni obsesión por comer.

RETO

Te reto a probar una vez a la semana un ayuno intermitente de unas 16 horas (más adelante podrás aumentar el número de días). Hazlo siempre y cuando no tengas ningún problema de salud. Más adelante, cuando tengas más experiencia, puedes incorporar uno de 24 horas, dos o tres veces al mes.

COMPRA DE FORMA INTELIGENTE EN EL SUPERMERCADO

Uno de los hábitos nutricionales más importantes que tienes que incorporar a tu vida es ir a comprar al mercado o al supermercado sin hambre. De esta manera te asegurarás de no pensar con el estómago, sino con la cabeza. Si vas a comprar sin hambre te ceñirás a la lista de la compra que habrás elaborado previamente, otro de los buenos hábitos que tienes que introducir ya.

Cuando estés en el supermercado, trata de mirar bien los ingredientes y la información nutricional de los productos. La cara anterior del envase te mostrará el aspecto agradable, pero la parte posterior, la verdaderamente importante, no te engañará.

Por cierto, si no sabes hacer compras saludables en el supermercado, ni cómo interpretar y analizar los ingredientes ni la información nutricional, puedes aprender a hacerlo de forma muy sencilla gracias a un manual gratuito que he confeccionado para ti. Solo tienes que entrar en el siguiente enlace: entrenasalud.es/comprar-supermercado/.

Otra excelente estrategia es ir a comprar al mercado tradicional de toda la vida, ya que allí no encontrarás tanta cantidad de alimentos ultraprocesados y refinados.

RETO

Es importante que planifiques tu salida a comprar alimentos:

- Haz una lista de las cosas que necesites (las importantes)
- Ve al mercado mejor que al supermercado
- Ve a comprar sin hambre, ¡o estarás perdido!
- Si vas al supermercado, mira bien los ingredientes y la información nutricional

AÑADE ALIMENTOS ANTIINFLAMATORIOS Y FUNCIONALES

Como sabrás, cada vez aparecen más enfermedades autoinmunes potentes y agresivas que hace unos años ni siquiera existían. Son enfermedades causadas por una inflamación crónica debida a una respuesta biológica del cuerpo para luchar contra una invasión o una lesión, como por ejemplo la enfermedad de Alzheimer, la ateroesclerosis, la diabetes tipo 2, la obesidad, la colitis ulcerosa, la artritis reumatoide, la enfermedad de Crohn, el colon irritable, etc.

Esta inflamación es una respuesta del sistema inmunológico a una agresión y, por tanto, no es la raíz del problema. Si te das un golpe o tienes una infección, tu cuerpo reacciona dilatando los vasos sanguíneos de la zona afectada para aumentar el flujo sanguíneo, de manera que éstos aumentan su permeabilidad para dejar pasar las sustancias encargadas de reparar el tejido dañado y proteger la zona de otros agentes invasores.

—Entonces cuando sale un chichón, es lo mismo ¿no?

Efectivamente, y con un morado igual. La culpa no es ni del morado ni del chichón. La inflamación simplemente es el resultado de que algo está pasando. El sistema inmunológico se defiende inflamando para luchar contra la agresión y para avisarnos de que algo va mal, de que hay que hacer algo. De no hacer nada, la inflamación se puede volver crónica y causar muchos más problemas.

En este sentido, la nutrición es esencial, pero por desgracia desde los hospitales y centros médicos no se le da la importancia que merece. En muchos casos en los que se han revertido enfermedades autoinmunes, ha sido gracias al ensayo/error o a un comportamiento autodidacta.

Lo que comemos nos afecta, tanto para bien como para mal, y hoy en día sabemos que hay ciertos alimentos y nutrientes que favorecen la inflamación y que son conocidos como alimentos o nutrientes proinflamatorios: carnes y embutidos procesados, lácteos azucarados, aceites y grasas parcialmente hidrogenados (margarinas), aceites y harinas refinados, *snacks*, bollería, etc.

Por ello, un buen hábito que puedes incorporar ahora mismo a tu alimentación es el consumo de alimentos funcionales, es decir, alimentos que pueden proporcionar beneficios para la salud, más allá de los que ofrecen los nutrientes que contienen. Debes diferenciar esta propuesta del marketing de los "superalimentos" y, por otra parte, tienes que ser consciente de que un alimento, por muy saludable que sea, no puede hacer milagros si el resto de tus hábitos son poco saludables. Por lo tanto, antes de incorporar este tipo de alimentos funcionales, elimina aquellos que sean proinflamatorios; antes de fregar, barre el suelo.

—Sí, vamos, que por mucha quinoa que coma, si me paso el día comiendo dónuts, de poco va a servir esa quinoa.

¡Efectivamente!

Estos alimentos contienen ingredientes biológicamente activos, asociados a beneficios fisiológicos para prevenir y tratar enfermedades crónicas. Un consumo regular de estos alimentos podría estar asociado no solo a funciones antiinflamatorias, sino también antioxidantes, lo que te ayudará a evitar el envejecimiento celular prematuro.

Este tipo de alimentos suele incluir polifenoles, terpenoides, flavonoides, alcaloides, carotenoides, esteroles, ácidos grasos insaturados omega 3 (DHA y EPA), fibra, aminoácidos y prebióticos.

A continuación te muestro una lista de los alimentos con mayor poder antioxidante y antiinflamatorio, ricos en algunos de los compuestos que te acabo de nombrar.

- Especias (cúrcuma, jengibre, canela, comino, pimienta negra, clavo)

- Frutas y frutos rojos (arándanos, cerezas, moras, frambuesas, uva, piña)
- Frutos secos (nueces, almendras, pistachos, anacardos)
- Vegetales (plantas de hoja verde, pimiento, tomate, remolacha, apio, brócoli, ajo, cebolla, alcachofas, coliflor, col)
- Semillas (sésamo, lino, chía, calabaza)
- Cereales de grano entero
- Pescados (salmón, atún, caballa, sardinas)
- Aceite de oliva virgen extra
- Té verde, negro y cafeína
- Chocolate negro y cacao

RETO

Haz una lista con algunos de los mejores alimentos antiinflamatorios y antioxidantes, e incorpóralos a tu alimentación diaria. Asegúrate antes de eliminar de tu alimentación aquellos alimentos proinflamatorios que no te favorecen.

DESAYUNA SOLO SI TIENES HAMBRE, Y ENTONCES HAZLO A CONCIENCIA

De verdad, no es necesario que desayunes nada más levantarte si no tienes hambre. Te diré más, si aun así quieres desayunar porque sigues pensando que es la comida más importante del día, lo cual no es cierto, hazlo, pero bien…

Hacerlo bien implica no dejarse llevar por el marketing alimentario, y con ello me refiero a los "pasillos de desayuno" que te encuentras en algunos supermercados, plagados de cereales azucarados, galletas, bollería y demás alimentos ultraprocesados.

Desayunar es un arte, pero es mucho mejor no hacerlo que hacerlo mal. ¿Recuerdas el ayuno intermitente? Pues eso…

Un buen desayuno puede consistir en un bote de garbanzos con aguacate y aceite de oliva virgen extra. ¿Por qué no? ¿Por qué nos han hecho creer que solo existen unos desayunos estándar? No es cierto… Nada de eso es cierto.

Lo cierto es que no tienes por qué desayunar si no tienes hambre, y que puedes comer incluso las sobras de la noche anterior, siempre y cuando sea algo saludable. También es cierto que no tienes por qué hacer cinco comidas al día y que ninguna de ellas es obligatoria. ¿Cómo te quedas?

—Me dejas muerto… Si siempre se ha dicho que…

Sí, siempre se han dicho tantas cosas, y hay tantos mitos… Ya es hora de darle la vuelta a la tortilla, ¿no? ¡Que está algo quemada!

A continuación te voy a ofrecer algunos ejemplos de desayunos, más allá de los cereales y de la tostada de aceite con café y zumo de naranja.

- Pudding de chía con frutos rojos
- Sándwich vegetal con pan integral de centeno
- Huevos revueltos con jamón serrano y café
- Gachas de avena con canela y semillas
- Plátano, crema de cacahuete y kéfir
- Batido saludable de espinacas, plátano, frutos rojos y avena
- Yogur con arándanos y semillas
- Tostadas de pan integral con aguacate untado, aceite de oliva y queso fresco

¿Quién dijo que solo se podían desayunar cereales azucarados?

RETO

La próxima vez que te levantes, analiza si realmente tienes hambre o no. En caso de que no lo tengas, ¡no desayunes! De verdad, no te va a faltar la energía a no ser que tengas algún problema de hipotensión. Si tienes hambre y decides desayunar, desmárcate de los típicos desayunos basados en alimentos ultraprocesados (café y tostada, cereales con leche, bollería) y busca alternativas más saludables, como las que te he descrito un poco más arriba.

INCORPORA PROBIÓTICOS Y PREBIÓTICOS

Un buen hábito de nutrición para tu día a día es incluir probióticos y prebióticos en tu rutina alimentaria. Pero seguro que te debes estar preguntando qué son. Son alimentos destinados a mejorar la microbiota, que es el conjunto de microorganismos que viven simbióticamente en el tracto intestinal. De hecho, las células de nuestra microbiota superan al número de células humanas en una proporción de 10 a 1.

Todas esas células también tienen su propio código genético que, aunque es distinto del nuestro, se encuentra estrechamente relacionado con nuestra salud. Antes se llamaba erróneamente "flora intestinal" porque se creía que tenía relación con la vida vegetal. Sin embargo, hoy en día sabemos que estos microorganismos son bacterias, hongos y levaduras, cuyo funcionamiento no tiene ninguna relación con el de las plantas.

Pues bien, en este punto exacto es donde entran en juego los probióticos y los prebióticos. Estos alimentos se consideran suplementos alternativos contra trastornos metabólicos, aparte de desempeñar un papel importante en la mejoría de la diabetes tipo 2 y la enfermedad cardiovascular. También mejoran las digestiones, los gases y la hinchazón, entre otros problemas digestivos.

PROBIÓTICOS

Según la OMS y la Organización de las Naciones Unidas para la Alimentación y la Agricultura (FAO), los probióticos son microorganismos vivos que al ingerirlos pueden ejercer beneficios para nuestra salud, especialmente la salud intestinal.

Ejemplos de probióticos interesantes que puedes incluir en tu alimentación cotidiana son el yogur, el kéfir (leche fermentada), el chucrut sin pasteurizar, el tempeh, el kimchi, el miso, la kombucha, los pepinillos sin pasteurizar, el suero de leche, etc.

PREBIÓTICOS

En 1995, Gibson y colaboradores definieron los prebióticos como ingredientes alimentarios que no son digeribles por los seres humanos y que sirven de alimento a las bacterias del intestino, favoreciendo así su crecimiento y su actividad.

Ejemplos de prebióticos son la raíz de achicoria, la alcachofa cruda, el ajo crudo, la cebolla tanto cruda como cocida, los puerros sin procesar, los espárragos crudos, el plátano, etc.

RETO

Incorpora alimentos probióticos y prebióticos, por lo menos uno de cada, todos los días, y verás cómo notas beneficios sobre tu salud.

OTROS HÁBITOS NUTRICIONALES IMPORTANTES

Para finalizar el tema de los hábitos nutricionales, me gustaría transmitirte una serie de consejos para que no te olvides de la importancia que tienen si quieres mejorar tu salud día tras día.

- Incorpora tantos alimentos frescos, naturales y de temporada como te sea posible
- Elimina aquellos alimentos de los que sospechas que no te sientan bien
- Consume frutos rojos naturales (frambuesas, arándanos, moras) y especias a diario (cúrcuma, jengibre, canela, tomillo)
- Intenta no consumir alcohol de forma regular
- No te obsesiones con el número de comidas que haces, y sí con la calidad de los alimentos que ingieres
- Si tu alimentación no es del todo equilibrada, valora tomar un multivitamínico
- Ningún alimento tiene capacidad por sí solo de hacerte engordar o adelgazar, beneficiar tu salud o hacerte enfermar
- No le tengas miedo a la fruta, es absolutamente saludable; la fructosa que contiene se encuentra dentro de su matriz alimentaria, junto a fibra, vitaminas y minerales, y por lo tanto no es azúcar libre (que sí es el caso de un zumo de frutas envasado)

Cuidado personal y ambiental

Seguro que estás aprendiendo muchos hábitos interesantes. Algunos quizás ya los conoces y los incluyes en tu vida, pero otros seguramente no y es probable que te hagan pensar…

Ahora vamos con una de mis secciones favoritas. El bienestar y cuidado personal y ambiental. Como su propia palabra indica, bienestar viene de estar bien. No hay ningún misterio, ¿verdad?

Y para estar bien, necesitas tener la mente en su sitio, relajada y sin estrés, ansiedad, agobios ni miedos. También necesitas verte bien en el espejo y tener una correcta higiene y, aunque te parezca menos importante, favorecer el medio ambiente es indispensable para que te sientas bien como persona. Todos vivimos en el mismo planeta.

Vas a aprender a conectarte contigo mismo para que te sientas mucho mejor. Descubrirás cómo tener más fortaleza mental y concentración, y cómo trabajando por dentro se ven reflejados buenos resultados por fuera.

HÁBITOS DE CUIDADO PERSONAL Y AMBIENTAL

Aplica los siguientes hábitos en función de tus objetivos personales, tus valores y tus preferencias. Ya sabes que lo que a alguien le puede ir bien, a otro no, así que es importante que pruebes, siempre con cabeza y teniendo claro qué es lo que quieres.

Los hábitos que te muestro no son peligrosos y responden al sentido común, la coherencia y la práctica. No tengas miedo, pero sé consciente de lo que haces y actúa en consecuencia.

—Claro, ¡qué fácil es decirlo!

Tienes razón. La teoría es muy fácil contarla, pero la práctica es algo más complicada. Por eso voy a hablarte sobre el estrés con mucho tacto, de manera que te resulte agradable y sencillo incorporar los siguientes consejos a tu vida.

El estrés suele producir baja autoestima, dolor de cabeza, irritabilidad, fatiga y otros problemas de salud, razones más que suficientes para que sea tan importante reducirlo. Además, no solo va a menoscabar nuestro bienestar y nuestra salud, sino también nuestro rendimiento, y nos hará estar menos concentrados, por lo que cometeremos más errores.

Es importante destacar la importancia de que un profesional analice tu nivel de estrés para saber si hay que hacer algún tipo de abordaje más específico.

Veamos qué puedes hacer para reducir el estrés:

- Pasa tiempo en contacto con la naturaleza; si es caminando, mejor

- Practica yoga y meditación

- La aromaterapia y los masajes son efectivos

- ¿Recuerdas los hábitos de actividad física? ¡Hazlos todos!

- Reduce la cafeína. ¿Qué tal el café descafeinado? ¿Y una tila?

- Consume cúrcuma y jengibre hasta en la sopa

- Desconecta de la tecnología, sobre todo las horas antes de ir a la cama

- Evita los alimentos ultraprocesados, ya sabes que no te aportan nada

- Tómate un día libre y conecta contigo mismo

- Date un baño caliente con espuma y música relajante

- Escribe todo lo que te venga a la cabeza y conviértelo en algo tangible

- Medita y duerme bien por la noche

¡Un momento!

—Me has asustado...

Meditar y dormir son aspectos de los que quiero hablarte más extensamente, así que los vamos a tratar de forma más detallada. Por ahora quédate con la primera idea de que ambas actividades son indispensables para reducir los niveles de estrés.

RETO

Tratamiento de choque antiestrés: una vez al día escribe en un papel todas las ideas que tienes en la cabeza, pasea por la naturaleza, aléjate del móvil y escucha música relajante. ¿Te ves capaz de hacer todo eso en un día?

MEDITA Y HAZ *MINDFULNESS*

La práctica de la meditación tiene su origen en la antigüedad, en la India. Su popularidad ha aumentado en los últimos años gracias a una corriente dominante defendida por terapeutas, coaches, científicos, celebridades y, cada vez más, médicos.

Actualmente el término "meditación" se usa para referirse a gran cantidad de técnicas diversas (contemplación, concentración, meditación guiada, ejercicios de respiración y mantra) cuyo verdadero propósito es uno: conectarse con el yo más profundo.

Cualquier técnica que funcione a nivel de sentidos, mente, intelecto y emociones, que logre el propósito de conectar con tu yo más profundo, será válida. Durante la meditación vas a emplear intencionalmente la atención, la conciencia y otras facultades mentales para comprender mejor el comportamiento y la funcionalidad de tu mente.

Cada vez hay más estudios que demuestran los grandes beneficios para la salud asociados con la meditación:

- Se eliminan tensiones acumuladas, aumenta la energía y afecta positivamente a la salud
- Reduce el estrés y la ansiedad
- Disminuye la depresión
- Se reduce el dolor, tanto físico como psicológico
- Mejora la memoria y la concentración
- Reduce la presión arterial, la frecuencia cardíaca y el cortisol
- Aumenta el flujo sanguíneo cerebral en el córtex del cíngulo anterior y la rapidez cognitiva
- Aumenta la materia gris en el cerebro

¿Necesitas que te cuente algo más para que empieces a meditar?

DUERME CON CALIDAD

El sueño es un proceso biológico esencial para tener salud y bienestar, así como para prevenir otro tipo de problemas más graves. El sueño y el descanso tienen un efecto vital sobre las funciones cerebrales y otros muchos sistemas del organismo (metabolismo, apetito, sistema inmunitario, hormonal y cardiovascular, etc.).

Un sueño correcto es aquel que tiene una duración suficiente, buena calidad, sincronización y regularidad apropiadas, y ausencia de alternaciones y trastornos. Por desgracia, hay mucha gente que no duerme bien: se ha reportado que en Europa hay unos 45 millones de personas que padecen un trastorno del sueño crónico que afecta a su calidad de vida y las coloca en una situación de mayor riesgo de sufrir accidentes.

Uno de los problemas más comunes es el insomnio. Hay una serie de factores que contribuyen al insomnio, como el estilo de vida, los hábitos, los factores ambientales, los problemas psicosociales, el propio estrés y otras condiciones médicas.

Las consecuencias de un mal descanso son devastadoras: desde estrés, ansiedad o angustia, hasta trastornos psiquiátricos, abuso de drogas o aumento de la mortalidad. Consecuencias igualmente importantes, y que aparecen de forma temprana, son la reducción del rendimiento y de la productividad. Asimismo, las alteraciones del sueño pueden ser la causa y la consecuencia de la reducción del bienestar, y, por tanto, puede originarse un círculo vicioso con resultados perjudiciales para la salud en general.

—¿Cuántas horas se recomienda dormir?

No hay un número fijo de horas recomendables para dormir, ya que cada cuerpo es un mundo y responde de diferente manera. Sin embargo, los estudios científicos parece que han demostrado que 8 horas son suficientes para un sueño regenerador.

Vamos a ver algunos consejos para que duermas como un bebé.

- Respeta los ritmos circadianos, no trasnoches y madruga (te cuento más en el siguiente hábito)

- Utiliza las últimas horas antes de dormir para leer o desconectar la mente; aléjate de las tecnologías y pantallas iluminadas

- Piensa en la cama como el botón que resetea el rúter: una vez en ella, todo se desconecta

- Trata de meditar o hacer *mindfulness* antes de acostarte

- Baños calientes con música e incienso pueden ser interesantes para favorecer un estado de relajación óptimo para dormir

- Consume té sin teína, manzanilla o tila que te ayuden a relajarte

- No abuses del azúcar y ten cuidado con la cafeína si te afecta mucho

- No hagas ejercicio pocas horas antes de acostarte, o la adrenalina y la euforia no te dejarán descansar

RETO

Durante una semana entera, dedica la última hora del día a ti o a tu pareja, y a hacer algo juntos que no tenga nada que ver con televisión, redes sociales o pantallas móviles. ¿Serás capaz?

MADRUGA, QUE TE VA A VENIR BIEN

Y no porque te vaya a ayudar Dios, sino porque madrugar te proporciona una serie de beneficios y reacciones positivas en cadena. Te cuento por qué. Madrugar te obliga a acostarte antes y, por lo tanto, a respetar más los ritmos circadianos. Hoy en día conocemos la importancia que tienen estos ritmos para mantener un correcto estado de salud.

La palabra circadiano significa "alrededor de un día". Proviene del latín *circa* ("alrededor") y *diem* ("día"). Los ritmos circadianos regulan los cambios en las características físicas y mentales que ocurren a lo largo de un día.

¿Has advertido en alguna ocasión que te has despertado a la misma hora de siempre a pesar de que no ha sonado el despertador? Eso se debe a tu reloj biológico, que se encuentra en el hipotálamo y controla la mayoría de los ritmos circadianos. Estas señales del hipotálamo responden a la luz suspendiendo la producción de melatonina, hormona que provoca la sensación de somnolencia. Los niveles de melatonina suelen aumentar al oscurecer. Así pues, los ciclos de luz y oscuridad tienen más relevancia de la que crees sobre tu salud, tu rendimiento y tu estado de ánimo. Recuerda que antes de existir la luz eléctrica vivíamos de acuerdo con la luz solar. Si te acuestas antes y te levantas con la luz del sol, aprovecharás más el día, y si además haces actividad física, mejor que mejor.

A estas horas tampoco estamos para demasiado esfuerzo, así que puede ser una buena idea activar el cuerpo andando, pedaleando o incluso corriendo suavemente; en definitiva, haciendo un cardio suave-moderado que te despierte y te ponga las pilas para el resto del día. A continuación, una ducha, un desayuno saludable... y ya estás motivado para el resto del día.

RETO

Trata de levantarte antes por la mañana y verás lo bien que te va el día. El refrán "Al que madruga Dios le ayuda" tiene más sentido del que parece. Además, puedes añadir un ejercicio físico a primera hora de la mañana.

LIMÓN TRAS EL AFEITADO

Es un hábito que puedes incorporar si eres hombre. A mí me funciona de forma excelente, y de paso me ahorro dinero. Usar limón como loción para después del afeitado es saludable, no contaminante… ¡y muy antiséptico! El limón es un cítrico que al aplicarlo directamente en la piel después de afeitarte limpia y regenera de forma natural y sin alcohol.

—Muy bien, pero es que yo voy a la moda, tengo barba…

Perfecto, tendrás que llevar limpia la barba, ¿no? ¿O la llevas como si fuera un nido de pájaros? En tu caso el limón también es efectivo, ya que te la dejará limpia, hidratada y con buen olor. Medio limón es suficiente. Al cabo de unos minutos puedes echarte un poco de agua para que no se te quede la cara reseca.

¿Te atreves a pasarte al limón?

Si además eres de los que les gusta empezar el día con un vasito de agua y limón, muy bien, mejor eso que un refresco azucarado, pero no pienses que es un hábito milagroso ni mucho menos: es agua y un cítrico, como si tomaras agua con lima, mandarina, pomelo…

RETO

Prueba a incorporar este hábito tras los afeitados y verás qué sensación más agradable (escuece). Ve acostumbrándote a usar menos alcoholes en tu piel y tu pelo, y empezarás a sentir un bienestar real.

PRACTICA EL *OIL PULLING*

La boca se considera el espejo de la salud y el bienestar del cuerpo humano. En ella se alojan millones y millones de microorganismos.

—Pues anda que... entre el intestino, la boca... ¡Estamos llenos de bichos!

¡Más o menos! Son parte de nosotros.

Hoy en día sabemos que, al igual que pasa con el intestino, la salud oral está directamente relacionada con la salud en general. Algunos de esos microorganismos de la boca pueden contribuir al desarrollo de enfermedades cardiovasculares y diabetes mellitus, y, por tanto, es importante mantener una correcta higiene bucodental.

Quiero hablarte de una técnica ancestral basada en enjuagues con aceite, conocida como *oil pulling*. Esta expresión se refiere al proceso de "trabajo" del aceite en la boca, tirando de él, empujándolo y succionándolo a través de los dientes. La técnica no es nueva ni mucho menos. Tiene sus orígenes en la medicina ayurveda (medicina tradicional india), que data de hace 3.000 años. Se usaba como remedio para prevenir caries, mal olor, encías sangrantes, sequedad de garganta y labios agrietados.

¿Por qué usar aceite? Porque la mayoría de microorganismos que habitan en la boca son unicelulares (son una única célula) y están cubiertos por una membrana lipídica (grasa) que cuando entra en contacto con el aceite (grasa) se adhiere al mismo de forma natural.

Te cuento el procedimiento:

> ➢ Cuando te levantes por la mañana y antes de desayunar, con el estómago vacío, haz enjuagues bucales con una cucharada de aceite durante unos 10-20 minutos. Transcurridos 20 minutos, el líquido, que se verá blanco y espeso, estará lleno de virus, bacterias y otros microorganismos

➢ Tienes que mover bien el aceite por toda la boca y mezclarlo con la saliva, por entre los dientes.

➢ Escúpelo y lávate la boca con agua. Puedes cepillarte los dientes tras el enjuague.

—¿Todos los días?

Todos los días.

—¿Esta técnica es para todo el mundo?

No. Mejor evitarla en niños menores de 5 años y en personas con úlcera bucal, fiebre, indigestión o con tendencia a tos, asma o vómitos.

—¿Qué aceite uso?

Muy buena pregunta. Aquí nos vamos a parar un poco más. Se pueden usar la mayoría de aceites (oliva, girasol, sésamo...). Sin embargo, el aceite de coco parece ser el más interesante para esta técnica. El coco tiene una composición diferente a los demás aceites, ya que sus grasas principales son saturadas de cadena media y contiene un 50% de ácido láurico, un potente antimicrobiano y antiinflamatorio. La leche materna humana es la única otra sustancia natural con concentraciones tan altas de ácido láurico.

Ten en cuenta que el aceite de coco es sólido a temperaturas frías, por lo que tendrás que cogerlo con una cuchara como si fuera mantequilla.

RETO

Para ir acostumbrándote, sería buena idea que empezaras con 5 minutos e ir aumentando progresivamente de 5 minutos en 5 minutos, hasta llegar a 20 minutos. Puedes practicar rutinas como levantarte, ponerte el aceite en la boca, ir preparando el desayuno y dar un paseo o sacar a tu perro.

CUIDADO PERSONAL... CUIDADO, SÍ, CUIDADO

Mucho cuidado con el marketing del cuidado personal. Sobre todo me refiero a nivel de la piel y el cabello. Aquí entran en juego cremas de todo tipo, geles, champús, pastas de protectores solares, lociones hidratantes, cremas rejuvenecedoras y antiarrugas, y un largo etcétera. No seré yo quien te diga en qué tienes que gastar tu dinero. Tan solo quiero que reflexiones conmigo y que analices mi punto de vista.

Para empezar, ninguna crema ni ninguna sustancia de uso tópico mejorará tu apariencia y bienestar si tus hábitos diarios de nutrición, ejercicio y descanso no son saludables. Ya puedes ponerte todas las cremas del mundo, que como seas sedentario y comas mal, es más probable que no estés sano y que tu piel y tu pelo tampoco estén sanos.

La mayoría de productos que se venden en los supermercados están basados en formulaciones compuestas por ingredientes artificiales poco recomendables: alcoholes, parabenos, sulfatos, glicerinas, vaselinas...

—¿Y qué propones? ¿Que vayamos sin asear por la calle?

¡Claro que no! Lo que quiero es que tomes conciencia de que lo realmente importante y que más impacto va a tener sobre tu apariencia externa es trabajar desde dentro para lucir bien por fuera. En sentido contrario no funciona, o por lo menos no igual de bien. Piensa en esto como en la disyuntiva de tratar el síntoma o el problema.

Si tus hábitos son malos, es posible que tu piel y tu pelo no luzcan sanos. Ponerte cremas sería trabajar el síntoma que no va a solucionar el problema, que son tus malos hábitos. ¿Lo entiendes así?

RETO

Te reto a no usar ningún producto que lleve alcohol o ingredientes no recomendables (por mucho que te "hidrate"). Durante las próximas semanas, centra tu atención en cuidarte bien por dentro y verás cómo esta atención se refleja por fuera.

VE DESPIDIÉNDOTE DEL PLÁSTICO

El problema de los plásticos es cada vez mayor y es responsabilidad de todos cambiar el rumbo, ya que hay muchas vidas en juego; entre ellas, la del propio planeta.

En una de las últimas asambleas de las Naciones Unidas sobre el Medio Ambiente se puso sobre la mesa la búsqueda de una solución a este grave problema que se nos ha ido a todos de las manos. En la declaración se señaló que anualmente "arrojamos entre 4,8 y 12,7 millones de toneladas de plástico a los océanos y que se debía hacer todo lo posible para revertir esta situación". También se lamentaba de que no se haya producido una reacción más temprana, ya que "las advertencias de lo que iba a ocurrir fueron publicadas en la literatura científica a principios de los setenta, pero obtuvieron un escaso eco en el seno de la comunidad científica".

Además del daño producido al medio ambiente, algunos estudios han demostrado la presencia de componentes plásticos en el organismo humano y se ha descubierto que algunos de ellos, como el BPA y el DEHP, están asociados a efectos negativos sobre la salud.

¿Qué podemos hacer entonces? Reducir el consumo de plásticos, eligiendo alternativas reutilizables y biodegradables más saludables. Vuelvo a repetir que esto no es solo responsabilidad de la Administración pública y de las empresas, sino también tuya y mía, así que te pregunto: ¿nos comprometemos juntos?

Crecimiento personal

Vamos con el último de los 4 fantásticos: el crecimiento personal en el trabajo, en la vida privada, en las relaciones sociales, etc. El crecimiento personal es un aprendizaje continuo que no cesa a lo largo de nuestra existencia.

Muchos de los hábitos de desarrollo personal que te voy a comentar tienen que ver con el último nivel de necesidades de la pirámide de Maslow: necesidad de estima, de reconocimiento y, sobre todo, de autorrealización, entendida como la satisfacción de la necesidad de alcanzar el máximo potencial como ser humano único. Así pues, dicha pirámide es una buena apertura para la sección del libro en la que nos encontramos ahora.

La pirámide de Maslow consta de cinco niveles, y para ascender de nivel debemos tener satisfechas primero las necesidades propias del nivel en que nos encontramos.

1. En el nivel más bajo de la pirámide se encuentran nuestras necesidades más básicas, como alimentarse o respirar. Solo al cubrir esas necesidades podremos subir al siguiente nivel.

2. En el segundo nivel tenemos las necesidades de seguridad, donde se busca crear y mantener una situación de orden y seguridad en la vida. Se refiere a la seguridad física (salud), económica (ingresos), de vivienda, etc.

3. En el tercer nivel se persigue satisfacer la necesidad de pertenecer a un grupo social, así como de disponer del amor y el aprecio de la familia, los amigos, la pareja, los compañeros, etc.

Éxito, reconocimiento, respeto, confianza

Amistad, afecto, intimidad

Seguridad física, de empleo, de recursos, moral, familiar y de salud

Respirar, alimentarse, descansa sexo, homeóstasis

4. El cuarto nivel hace referencia a satisfacer las necesidades de reconocimiento, respeto, confianza, etc.

5. Finalmente, en el último nivel se encuentra la necesidad de autorrealización.

HÁBITOS DE CRECIMIENTO PERSONAL

Antes de empezar a tratar los hábitos de crecimiento personal, quiero que te quedes con la siguiente frase. Bueno, mejor que grabártela en la mente, me gustaría que la escribieras en diversos folios y que los repartieras por todo tu escritorio, o mejor aún, ¡por toda la habitación! O espera, por toda la casa.

Es decir, no esperes alcanzar tus objetivos personales si no estás dispuesto a formarte, aprender, esforzarte, mejorar y progresar. No esperes lograr tus objetivos personales si no estás dispuesto a progresar, trabajar y esforzarte. No esperes que tu árbol crezca, ni mucho menos que dé frutos, si no lo cuidas y lo riegas con cierta regularidad.

> TUS RESULTADOS CRECERÁN EN LA MEDIDA
> EN QUE TÚ CREZCAS.

NO BUSQUES EL ÉXITO

Ahora mismo, en el punto exacto en el que te encuentras, coge papel y lápiz, y anota qué es para ti el éxito:

—Para mí el éxito es ser feliz.

Ya deberías haber respondido lo que significa para ti tener éxito. De ser así, ya has dado un paso importante, porque si no diseñamos nuestra propia vida, es posible que acabemos viviendo la de otra persona subiendo por la escalera equivocada. Como dijo Bruce Lee: "Sé siempre tú mismo, exprésate, ten fe en ti mismo; no busques ni copies una personalidad exitosa".

¿Te imaginas llegar a la cima de una montaña y darte cuenta allí arriba de que no era esa la montaña que tú querías subir? Eso es realmente frustrante y puede poner en riesgo tu salud física y mental. Lograrás tener éxito de verdad siempre y cuando logres subir la montaña que tú quieres bajo las condiciones que tú quieres.

La realidad es que el éxito puede suponer una cosa para mí y otra muy diferente para ti. Para mí, el éxito no consiste en tener miles de seguidores en Instagram, ni en construir un gran imperio de millones de euros. Para mí, el éxito tampoco es como me lo han explicado mis padres y mis amigos a lo largo de mi vida. Nadie puede imponernos su forma de ver la vida, ni su interpretación del éxito.

Nos han hecho creer que ser una persona exitosa es tener un trabajo estable, casarse, tener hijos y disfrutar de una maravillosa jubilación. Pues siento ser yo el que lo diga, pero nos han engañado.

> **EL ÉXITO PUEDE LLEGAR A SER UNA META, PERO SOBRE TODO ES EL CAMINO QUE RECORRES, EL PROCESO, EL VIAJE.**

Si quieres saber qué es para ti el éxito de verdad y conseguirlo, deberías empezar por hacerte las siguientes preguntas:

- ¿Qué es lo que realmente me importa?
- ¿Cuáles son las cosas que me apasionan?
- ¿Qué quiero hacer con mi vida?

- ¿Cómo me gustaría que me recordaran cuando ya no esté?
- ¿Qué estilo de vida quiero adoptar?
- ¿Quién estoy destinado a ser?

RETO

No te centres en el éxito. Coge papel y lápiz, y responde a las siguientes preguntas: ¿cuáles son tus valores y principios? ¿Dónde te encuentras, y dónde quieres llegar? ¿Cómo te gustaría vivir dentro de 5 años?

Escribe las tareas que te acercarán a esa vida ideal. Piensa en cuánto necesitas crecer y qué necesitas para llegar ahí. Piensa en tus debilidades y fortalezas, y actúa en consecuencia.

NO BUSQUES SER FELIZ

Aunque todo el mundo cree saber qué significa ser feliz, la verdad es que la felicidad es algo bastante complejo que depende de factores genéticos y cerebrales, de neurotransmisores, de hormonas, de la salud, de la tipología, etc.

Me gustaría que te quedara clara una cosa. La felicidad no la encontrarás fuera de ti. No la vas a obtener comprándote un coche, ganando un premio de la lotería o logrando un ascenso en el trabajo. La felicidad es mucho más que eso. La felicidad no se busca, ya que no se encuentra en un lugar concreto. No está ahí fuera esperándote. Porque si la felicidad fuera eso, ¿por qué hay personas que son más felices, teniendo menos? Hay gente que vive con menos medios y que necesita menos cosas, y la consecuencia directa es que disfruta más de los pequeños detalles, está más conectada con la vida y tiene más momentos de felicidad.

Si quieres tener más momentos de felicidad en tu vida, puedes poner en práctica los siguientes consejos:

- No busques la felicidad y no te dejes llevar por los gurús que te dicen que hay que ser felices a toda costa. Si te exiges encontrar algo tan subjetivo como la felicidad y no la encuentras, te frustrarás y será peor el remedio que la enfermedad.

- Vive la vida sin necesidad de tener cada vez más bienes materiales, que lo único que hacen es enriquecer tu ego, empobrecer tu bolsillo y distraer tu mente.

- Si no eres feliz con dos coches, una familia y un buen trabajo, mira dentro de ti y analiza qué te está faltando (o sobrando) en tu vida.

- Trata de vivir el presente, y no pienses en el ayer ni el mañana. Vive cada momento y trata de disfrutar de los pequeños placeres de la vida, como contemplar el campo, un bosque repleto de árboles o la inmensidad del mar.

- Cambia tu escala de valores y no te centres intensamente en aspectos poco relevantes como el éxito, el dinero, el trabajo, la pareja ideal...

- Lo que más recordarás en tus últimos días serán las experiencias vividas, los momentos de risas, el café en aquella terraza viendo el mar o la sonrisa de tus hijos el día de los Reyes Magos.

- La realidad es que la felicidad depende exclusivamente de ti, de cómo te tomes la vida, de cómo des tus pasos, de cómo quieras interpretar las cosas que te pasan y de cuáles sean tus acciones y tus hábitos. Tú decides.

RETO

La felicidad no es un resultado, es un proceso, no es un fin en sí mismo, es un medio.

No pierdas el tiempo ni te frustres buscando esa felicidad, porque no la vas a encontrar. Haz los cambios necesarios en tu vida para que salga a la luz desde dentro y tengas más momentos de felicidad en tu día a día. Busca, analiza y haz lo que tengas que hacer (recuerda tus valores, tus pasiones y tus ideales, y camina en la dirección correcta). En tu dirección.

ADQUIERE INTELIGENCIA EMOCIONAL

¿Necesita inteligencia emocional alguien que tiene un alto cociente intelectual? Siempre nos han hecho creer lo importante que es tener un elevado cociente intelectual para llegar lejos en la vida, para tener "éxito" profesional. Sin embargo, cada vez se valora más otro tipo de inteligencia para desenvolverse por la vida con habilidades sociales, empatía y respeto. Te estoy hablando de la inteligencia emocional, y ésta es una asignatura que no se imparte en el sistema educativo, razón por la que llegamos a la edad adulta sin esas habilidades y esos recursos básicos tan necesarios. Como su nombre indica, la inteligencia emocional está estrechamente ligada a las emociones, y éstas juegan un papel vital en nuestro día a día.

> «PENSAR EN ALGO NO LO HACE REALIDAD.
> DESEAR ALGO NO LO HACE REAL».
>
> MICHELLE HODKIN

Las emociones se encuentran en todos sitios: en decisiones, en acciones, en conversaciones, en discusiones... Resulta curiosa la escasa vinculación que hay entre la inteligencia clásica (lógico-matemática) y la emocional. También es interesante darse cuenta de que algunas de las personas más influyentes y relevantes del mundo han destacado por su elevada inteligencia emocional sin ser tan afortunadas en otro tipo de inteligencias más clásicas.

Si quieres ser una persona con una gran inteligencia emocional, te recomiendo que te formes en los siguientes aspectos:

1. AUTOCONOCIMIENTO

Descubre cómo son tus propios sentimientos y emociones, y cómo te influyen. Analiza cómo tu estado anímico y tus actitudes te afectan tanto a ti como a las personas de tu alrededor, y los resultados que estás consiguiendo.

2. AUTOCONTROL

Reflexiona sobre tus propios sentimientos y emociones para no dejarte llevar por ellos sin control. Aprende a relativizar y sé consciente de que tu realidad no es la única. Hay más personas en el mundo que por suerte ven la realidad de diferente manera a la tuya. Respeta y aprende a empatizar.

3. EMPATÍA

Una conversación tiene muchas fases. El emisor piensa lo que quiere decir, lo dice, el receptor lo escucha, lo interpreta y lo valora.

La inteligencia emocional se fundamenta en la correcta interpretación de las señales que los demás expresan de forma consciente e inconsciente, en saber entender a la otra persona, poniéndote en su lugar y aceptándola tal como es.

4. HABILIDADES SOCIALES

Una buena relación con los demás es imprescindible para un buen desarrollo personal. Y esto pasa por tener empatía, saber dialogar, escuchar y ser asertivos, es decir, ser francos y directos sin herir la sensibilidad de los demás. La asertividad es muy importante para dar tu opinión en todo momento, siempre desde la educación, el respeto y la sinceridad.

RETO

Comprométete contigo mismo desde hoy a desarrollar una correcta inteligencia emocional. Adquiere habilidades sociales bajo las premisas del respeto, la empatía, la asertividad y la educación, teniendo claro que tu realidad no es la única y que cada persona ve la vida desde su propia experiencia, personalidad, rasgos y vivencias. No estás solo, vivimos en compañía.

APRENDE A PERDONAR

Dominar el arte del perdón te puede salvar la vida. Porque quien no sabe perdonar a otras personas, tampoco se perdona a sí mismo ni a su pasado, y eso, permíteme que te lo diga así, causa frustración, angustia y malestar. Te diré más: la carga física que supone no estar dispuesto a perdonar tiene efectos a nivel físico y mental. En cambio, cuando eres capaz de perdonar, te quitas un gran peso de encima y puedes ahorrarte muchos momentos de estrés, ira y ansiedad.

Perdonar no te hace débil, sino todo lo contrario. Cuando no perdonas es por puro orgullo, el cual está alimentando tu propio ego. No perdonar es lo fácil, lo cómodo, lo realmente cobarde.

RETO

Vamos a hacer una lista de todas las cosas o los sucesos a los que te gustaría poner punto y final. Sé valiente y perdónalo… sea quien sea: tú mismo, un amigo o un familiar, me da igual. Relativiza y quítate el peso de encima que supone no perdonar. Analiza si no estás perdonando por miedo, desconocimiento u orgullo. Sea cual sea el motivo, perdona.

SÉ AGRADECIDO

Es de bien nacido ser agradecido, ¿verdad? Esta afirmación es más cierta de lo que pueda parecer. Ser agradecido es una cualidad admirable, que no todo el mundo tiene (sobre todo porque no la practica). Ser agradecido se hace, no se nace. Es un hábito más que se puede incorporar, entrenar y trabajar.

El Día de Acción de Gracias (*Thanksgiving Day*) es una fiesta nacional estadounidense cuyo objetivo es agradecer la bendición de la cosecha. Los ciudadanos de Estados Unidos celebran esta fiesta con reuniones familiares en sus hogares en las que comparten una comida especial y en las que es frecuente rezar todos juntos una oración de agradecimiento por todo lo bueno que tienen: salud, familia, amigos, trabajo…

Si bien es cierto que hay que ser agradecido todo el año y no solo durante unas fiestas, este tipo de eventos ayudan a recordar que tenemos mucho más de lo que creemos, y eso es motivo de sobra para recordártelo en este libro y agradecerlo.

Ahora mismo agradezco mucho que estés leyendo este libro. Además, también estoy agradecido por tener salud, una familia y una pareja que me quiere, unos amigos con los que reírme, un cuerpo con el que puedo caminar, saltar, correr… Agradezco tener cerca el mar, poder ver el sol todos los días, respirar y tener disponibles los cinco sentidos.

Algunos estudios han demostrado que el mero hecho de ser agradecido con alguien puede mejorar de forma directa tu salud. En un trabajo publicado en *The Journal of Happiness* en 2012, se descubrió que aquellas personas que escribieron cartas de gratitud durante tres semanas eran más felices, vivían más satisfechas y tenían menos posibilidades de deprimirse.

Si quieres ser agradecido, será importante que te alejes de la gente tóxica y que te rodees de personas que muestran una actitud positiva y agradecida. Las actitudes negativas y pesimistas se contagian rápidamente, y por ello es importante que aquellos que nos acompañan tengan una visión optimista de la vida. También te recomiendo que no vayas de víctima por la vida incluso en momentos difíciles; entonces es más importante que nunca ser agradecido con lo que tienes y enfocarte en lo que tienes y no en lo que no tienes, has perdido o te han quitado.

AGRADECE

Sé agradecido con lo que tienes y con la gente que está a tu alrededor. Todas las noches, antes de acostarte, escribe en un diario cinco cosas por las que estés agradecido y que te hayan sucedido hoy. Poco a poco irás subiendo a diez, quince…

EL PODER DE LA VISUALIZACIÓN

Tener la capacidad de imaginarte a ti mismo logrando aquello que deseas no tiene precio.

—Yo deseo tener mucha salud, por eso estoy leyendo este libro.

Es un hábito que tienes que incorporar en tu vida. Tienes que imaginar cómo te sentirías, si ya tuvieras toda la salud y la energía posibles. Cierra los ojos y siéntelo… Ahora solo tienes que actuar como si eso ya fuera así en el presente. La realidad es que la visualización es tremendamente efectiva cuando se usa de forma correcta.

«A MENUDO NOS CONVERTIMOS EN LO QUE CREEMOS SER. SI CREES QUE NO PUEDES HACER ALGO, SERÁS INCAPAZ DE HACERLO. SI CREES QUE PUEDES, ADQUIERES LA CAPACIDAD DE HACERLO, AUNQUE AL PRINCIPIO NO PUEDAS».

GANDHI

No hace mucho me imaginé escribiendo un libro. No solo me lo imaginé, sino que me sentí escritor. Me veía levantándome temprano, preparando café, sentándome en la silla y poniendo mis manos en el teclado del portátil, con la brisa de la madrugada entrando por la ventana. Lo creí con tanta fuerza que al día siguiente recibí un correo de la editorial que ha publicado este libro ofreciéndome la oportunidad de escribir mi primer libro: *HIIT. Entrenamiento de intervalos de alta intensidad.*

Para mí fue un sueño hecho realidad, debido en parte al poder de la visualización, a sentirlo, a quererlo con todas mis fuerzas. El gran Muhammad Ali siempre insistía en la importancia de visualizarse victorioso mucho antes de la pelea. El famoso actor Will Smith también lo tenía claro: "En mi mente yo siempre he sido una superestrella de Hollywood, pero la gente aún no lo sabía".

Quédate con esto: **si algo te supone un problema, hazte más grande que ese problema para solucionarlo**. Y también con esto: **si no puedes imaginarte logrando tus objetivos, entonces es probable que nunca los logres.**

RETO

Visualízate ahora mismo logrando aquello que de verdad sueñas. Piénsalo muy intensamente hasta el punto de creértelo. Ahora actúa como si ya lo tuvieras, día tras día, durante una semana entera. Ve anotando las sensaciones y cómo todo va cambiando.

SONRÍE

Sonreír es un gesto totalmente gratuito y que sin duda va a mejorar tu vida y la de las personas de tu alrededor. Si sonríes, el mundo te devuelve la sonrisa. Está más que demostrado que el hecho de sonreír hace que tu cerebro genere neurotransmisores que proporcionan bienestar y tranquilidad, ayudando a evitar estrés, ansiedad y miedos.

Intenta sonreír cada vez más. Cuanto más, mejor; no hay un tiempo máximo al día para sonreír, pero sí mínimo… debería ser una obligación. Empieza practicando en el espejo, con tus padres, tu familia, tus amigos y tus compañeros de clase o del trabajo. Sonríeles, te devolverán la sonrisa y se creará un ambiente más agradable.

—¿Y si no me sale sonreír?

Fíngelo como si fueras un actor y también funcionará para sentirte mejor. Piensa que es uno de los hábitos más importantes que puedes incorporar a tu vida.

RETO

Si no sueles sonreír, ¡planifícalo! Y no, no significa en absoluto que seas un falso; significa que estás tratando de incorporar un hábito que te hará más feliz, más humano y más saludable. Sé consciente de las horas al día que pasas con rostro serio y las que sonríes (seguro que gana por goleada la cara seria). Intenta todos los días sonreír durante un minuto de forma consciente, sin motivo aparente. Trabájalo y verás lo que sucede en tu mente y a tu alrededor.

Una pregunta: ¿cuándo fue la última vez que leíste un libro o un artículo importante de una revista?

«HAY MÁS TESOROS EN LOS LIBROS QUE EN TODO EL BOTÍN DE LOS PIRATAS DE LA ISLA DEL TESORO».

WALT DISNEY

—Suelo leer las publicaciones de Instagram. ¡De hecho, me las leo todas!

Bueno, entonces es indudable que te estás perdiendo la gran cantidad de beneficios que la lectura ofrece, mucho más allá de entretenerte. Piensa por un momento en la diferencia que hay entre leer un libro y ver la televisión o las publicaciones de Instagram.

Sacas tus propias conclusiones, ¿verdad? Pues ahora pasamos directamente a los beneficios:

- Estimulación mental, que ayuda a prevenir enfermedades cognitivas
- Menos estrés y ansiedad
- Más conocimiento, que te puede abrir muchas puertas
- Mayor riqueza de vocabulario
- Más y mejor memoria
- Capacidad de concentración y meditación
- Paz y tranquilidad

RETO

Te propongo que leas un ratito cada día. Te recomiendo leer 30 minutos si te cuesta más, o 60 minutos si te cuesta menos, ¡pero lee!

TERCERA PARTE

EL DESAFÍO FINAL

5

EL RETO DE LOS TREINTA DÍAS QUE CAMBIARÁ TU VIDA

Ya hemos llegado al final del camino. Sin embargo, he de decirte que ¡todo está por empezar!

Saliste con una maleta pequeña y ahora tienes en tu poder una gran cantidad de recursos y herramientas que posiblemente te pesan mucho y te hacen avanzar más despacio. Es absolutamente normal. Por ello te voy a proponer un reto de treinta días, que comienza y termina con tu compromiso: el compromiso de esforzarte de verdad en mejorar día tras día.

La idea es que elijas todos aquellos hábitos que quieras incorporar y que vayas a por ellos con toda la fuerza del mundo, gracias a lo que has ido aprendiendo en el transcurso de la lectura del libro. Pero antes de fregar, ¿recuerdas qué se hace?

—Se barre el suelo.

Efectivamente, por ello te recomiendo que antes de empezar con el reto, trates de esforzarte en eliminar aquellos hábitos que no te favorecen en ningún aspecto y que no te acercan a tus objetivos (por ejemplo, tabaco, sedentarismo, alcohol…).

Haz una lista de esos hábitos y trabaja en ello las próximas semanas.

1.ELIMINA

Hábito número 1 a eliminar ....

Hábito número 2 a eliminar ....

Hábito número 3 a eliminar ....

...

2. INCORPORA

Una vez tengas claros los hábitos a eliminar y hayas trabajado en ellos, podemos empezar a tratar los hábitos a incorporar. A continuación, verás en una tabla resumen todos los hábitos positivos que hemos descrito a lo largo de este libro.

No intentes incorporar demasiados hábitos a la vez, o acabarás agotado, frustrado y desmotivado (y sin resultados óptimos).

ACTIVIDAD FÍSICA		NUTRICIÓN	
• No ascensores • Mil pasos • La regla del 1 • Mañanas saludables • Entrenar los músculos • Controla intensidad	• Compra/limpia • Objetivos • Sexo • Trabaja de pie • Levántate más	• No más dietas • No más ultraprocesados • Plato saludable • Come verde • Ayuno intermitente	• Compra de forma inteligente • Comida funcional • Desayuna bien • Prebióticos y probióticos
BIENESTAR		DESARROLLO PERSONAL	
• No más estrés • Medita/Mindfulness • Duerme bien • Madruga	• Limón aftershave • Oil pulling • Cuidado personal • Bye plásticos...	• No busques éxito • No busques felicidad • Inteligencia emocional • Aprende a perdonar	• Sé agradecido • Visualiza • Sonríe • Lee

En total hemos abordado más de 36 hábitos, algunos de los cuales van cogidos de la mano con otros hábitos, como es el caso del estrés, dormir, el éxito, la felicidad, la inteligencia emocional, etc.

Para asegurarte de que llegas a buen puerto, mi recomendación es que sigas la regla del 4-4. Es decir, cuatro hábitos en cuatro semanas.

Semana 1: trabajas uno o varios hábitos de actividad física

Semana 2: trabajas uno o varios hábitos de nutrición

Semana 3: trabajas uno o varios hábitos de bienestar

Semana 4: trabajas uno o varios hábitos de desarrollo personal

Como resultado de esto, en treinta días habrás transformado gran parte de tus acciones y hábitos diarios, y estarás más cerca de lograr ese estado de salud y energía que tanto quieres. En los siguientes meses podrás ir ajustando los hábitos e ir añadiendo otros en función de tus objetivos, tus sensaciones y tus preferencias.

Consejos finales

Sé consciente de que se normalmente se necesitan más de treinta días para interiorizar un hábito. Busca generar recompensas que te hagan fácil el proceso y, sobre todo, ¡disfruta de él!

Aprende a priorizar. Trata de incorporar primero aquellos hábitos que ofrezcan una transferencia positiva a otros hábitos, y de esa manera crear combos (como si de un videojuego se tratase). Por ejemplo, madruga, haz actividad física y ayuno intermitente. O date un baño caliente con una música relajante de fondo mientras lees un buen libro. Así tu motivación crecerá y tu experiencia será más satisfactoria.

Piensa en cuáles son los hábitos que quieres (o necesitas) incorporar a tu vida y decide aspectos tan relevantes como:

- Cuánto: por ejemplo, 10 minutos al día o 3 horas a la semana
- Dónde: por ejemplo, en el parque, en el dormitorio o en la cocina
- Qué días: por ejemplo, tres veces por semana, una vez al mes o todos los días
- En qué momento del día: por ejemplo, recién levantado o por la mañana antes del almuerzo
- Solo o acompañado: solo, con amigos o con familiares

Una vez hayas determinado el hábito, hazlo público y busca ayuda. Toda motivación es poca. Cuando te comprometes contigo mismo y con más gente, la motivación ayuda a que se logre el objetivo y por tanto es un recurso muy útil que tienes a tu disposición.

Recuerda que para lograr el éxito, a veces hay que fracasar. No te martirices si das un paso atrás. Ten claro tu objetivo y sigue caminando.

Hay alguien con el que más vas a hablar durante estos días, y ese alguien eres tú mismo. Depende de cómo sea vuestra conversación, tendrás un aliado o un enemigo, así que asegúrate de tener una mente positiva y una actitud correcta, y piensa los mensajes adecuados: "¡Sí, puedo!", "¡Lo voy a conseguir!", "¡A por todas!", "¡Nadie me puede parar!".

Y como todo camino, también éste tiene su comienzo y su final. Aunque como te dije en el capítulo anterior, todo está por llegar y hay muchos más caminos que puedes coger.

Espero que este libro te haya servido como mínimo para reflexionar y ser consciente de la importancia que tienen los hábitos en tu vida para lograr salud, rendimiento y bienestar.

Me gustaría acompañarte en tu camino, y por ello puedes seguirme por el fantástico mundo virtual que nos conecta a todos,

> Descubre mi web personal:

www.entrenasalud.es/

> Sígueme por las redes sociales

www.youtube.com/entrenasalud

www.instagram.com/danisanchezsaez

www.facebook.com/entrenasalud

ANEXO

VIVIR MÁS AÑOS EN MEJORES CONDICIONES

> «DE ELLOS, LOS CENTENARIOS, PODEMOS APRENDER CÓMO CREAR NUESTRAS PROPIAS ZONAS AZULES Y COMENZAR EL CAMINO PARA VIVIR VIDAS MÁS LARGAS Y MEJORES».
>
> DAN BUETTNER, 2012

La esperanza de vida sigue aumentando sin cesar, estamos evolucionando muy rápidamente, casi sin darnos ni cuenta, y todo ello está teniendo un gran impacto sobre nuestra longevidad.

¿Por qué determinadas personas consiguen vivir mucho más que la media, como por arte de magia, si todos tenemos la misma esperanza de vida? ¿Será casualidad? ¿Será genética? ¿Será cuestión de hábitos? ¿Será la zona geográfica? ¿Será todo un poco? En realidad, depende de varias cosas. La ciencia ha demostrado que hay una serie de factores que intervienen en la longevidad, o, lo que es lo mismo, en una larga vida. Pero antes de comentar esos factores, déjame hablarte de esas personas que viven más que la media.

Hay una serie de lugares repartidos por el mundo, conocidos como zonas azules, que describen los estilos de vida característicos y el ambiente en el que se mueven las personas más longevas del mundo. Los habitantes de estas zonas parecen vivir como en los cuentos de hadas, como si tuvieran el manual secreto de la eterna juventud.

—¡Robemos ese manual!

Tranquilo, no vamos a robar nada. Será mejor que vayamos a dar un paseo por esas zonas azules para conocer los hábitos de sus habitantes. Veremos qué hacen en su día a día, cómo se toman la vida, cómo se relacionan, a qué dedican su tiempo...

No sé a ti, pero a mí me interesa mucho analizar los hábitos de vida de las personas que consiguen vivir muchos más años que la media.

—Sí, la verdad es que sí, pero ¿podrías explicarme eso de zona azul qué significa?

El concepto de zona azul fue creado a partir de un trabajo demográfico de Gianni Pes y Michael Polain en el año 2000. En este estudio identificaron la provincia de Cerdeña Nuoro como la región con la mayor concentración de hombres centenarios del mundo. Más tarde, Dan Buettner estudió y amplió esa investigación, identificando cinco áreas geográficas donde sus habitantes viven más que la media; son las que hoy se conocen como las cinco zonas azules:

Las cinco zonas azules

Bienvenido a mi avioneta. Vamos a viajar en menos de 24 horas por cada una de las zonas azules. Es posible que incluso dos minutos te basten para conocer de forma general cada una de estas regiones. Empecemos: ¡destino Italia!

Región de Barbagia (Cerdeña), Italia. Cerdeña tiene la mayor concentración de centenarios del mundo. Sus habitantes basan su dieta principalmente en verduras y realizan actividad física diaria.

Ikaria, Grecia. La isla del mar Egeo tiene una de las tasas de demencia más bajas del mundo. Sus habitantes suelen ir a dormir tarde y lo compensan con siestas diarias. Tienen un estricto apego a la dieta mediterránea: comen muchas frutas, verduras, frijoles, granos integrales, patatas y aceite de oliva. La mayoría llega a los 90 años sin demencia ni enfermedades crónicas.

Península de Nicoya, Costa Rica. Aquí encontramos la segunda mayor concentración de hombres centenarios. La mayoría de los residentes evitan la comida procesada y basan su alimentación en frijoles, calabaza, maíz y frutas tropicales. Además, su propósito de vida les guía y les ayuda a mantener una correcta salud mental y espiritual, viviendo muchos de ellos por encima de los 90 años.

Loma Linda (California), Estados Unidos. La única zona azul de los Estados Unidos es un refugio de la Iglesia Adventista del Séptimo Día. Sus habitantes viven 10 años más de media que sus conciudadanos estadounidenses. Esta población combina el énfasis en la comunidad y la adherencia al sábado, un día de descanso en el que reflexionan y recargan las pilas. Muchos evitan la carne y comen muchos vegetales, granos enteros y nueces.

Okinawa, Japón. Esta zona azul cuenta con las mujeres más longevas del mundo, muchas de las cuales superan los 100 años. En esta población destaca el fuerte vínculo familiar: esta cultura está apoyada por el *moai*, un círculo social pequeño pero muy unido que está presente durante todos los altibajos de la vida, lo que proporciona un gran respaldo social que ayuda a evitar depresiones y a reforzar las conductas saludables.

Lo impresionante de los habitantes de las zonas azules es que no solo son centenarios, sino que también llegan a esas edades en buenas condiciones físicas y mentales. Porque estarás de acuerdo conmigo que de poco sirve llegar a vivir 100 años si no puedes disfrutar de la vida. Estos centenarios, en cambio, muestran fortaleza, vitalidad, energía y mucha ambición por vivir. Además, no suelen padecer cáncer, diabetes, ni enfermedades cardiovasculares; muchos mueren tranquilamente en casa, durante el sueño.

Ahí es nada, ¿eh?

—¡Rápido! Dime dónde hay que firmar...

No tanta prisa. Antes, y con la ayuda de Buettner, vamos a analizar qué cosas tienen en común las zonas azules para poder sacar conclusiones más claras.

Lo que tienen en común las cinco zonas azules

Vamos a considerar los factores que pueden estar contribuyendo a que los centenarios de estas zonas azules vivan tantos años y en tan buenas condiciones. De entrada, el simple hecho de vivir a mayor altitud y en un entorno menos contaminado y tóxico ya puede influir en los años de vida y en la calidad de esos años.

—¿Significa eso que si quiero ser un centenario tendría que ir a vivir a una de esas zonas azules?

No tienes por qué. No podemos sacar conclusiones simplistas, como relacionar la longevidad de una población con un solo factor, como vivir a mayor altura, comer nueces o hacer una hora de ejercicio al día.

Vamos a ver de forma más detallada los ocho hábitos que tienen en común todas las zonas azules del mundo.

1. MOVIMIENTO NATURAL

El movimiento es parte de la rutina diaria de los centenarios en las zonas azules. No hacen *spinning*, pero la bicicleta es el medio de transporte más usado desde los 3 años ¡hasta los 100! Tampoco están apuntados a gimnasios, pero trabajan en el jardín de manera regular. No hacen *spinning*, pero caminan y suben y bajan escaleras de forma habitual. Como ves, todo eso tiene un gran impacto sobre su salud y les favorece muchísimo de cara a vivir más años en buenas condiciones.

2. TENER UN PROPÓSITO, UN "PARA QUÉ"

¿Recuerdas que antes te hablaba sobre la importancia de tener un fuerte "para qué" o sentido de vida? La gente que vive en las zonas azules y que es longeva lo sabe, y por ello tiene un fuerte sentido del propósito de vida, conocido como *ikigai* en Okinawa y "plan de vida" en Nicoya, que se traduce por un "para qué me despierto por la mañana". Tener un sentido de vida les hace vivir con ilusión y felicidad, les hace ser ambiciosos y tener una razón para vivir, para luchar, para cuidarse. Si no tienes un sentido de vida, la salud emocional y física se tambalea. Vale la pena mirar hacia dentro, analizar y reflexionar en busca de tu para qué.

Normalmente, un propósito de vida va mucho más allá de ti como persona, es decir, lo sueles poner al servicio de los demás; por ejemplo, cuidar de la familia o amigos, ayudar a las personas, transmitir conocimientos y experiencia… Sea lo que sea, tener un propósito te va a ayudar a ser feliz, a recuperarte de enfermedades y a ser más longevo.

3. SIN ESTRÉS NO HAY ANSIEDAD

El estrés es una de las principales causas de enfermedad e infelicidad en el mundo actual. Mantenido en el tiempo, puede conducir a inflamación crónica asociada a gran cantidad de enfermedades, como obesidad, diabetes, hipertensión y riesgo cardiovascular.

El estrés puede llegar a convertirse en un enemigo silencioso, ya que a veces es complicado detectarlo. Incluso en las zonas azules sus habitantes tienen estrés. Sin embargo, disponen de recursos y herramientas para controlarlo y reducirlo. Por ejemplo, los habitantes de Okinawa se toman unos momentos cada día para recordar a sus antepasados, los adventistas rezan, los habitantes de Ikaria duermen la siesta y los sardos dedican una hora diaria a fomentar su felicidad.

Caminar todos los días con la familia, tener hobbies, dormir bien, no estar rodeados de tecnología (móviles, ordenadores, redes sociales, televisión…), meditar y relajarse es fundamental para que la gente controle el estrés, sea más productiva y esté más sana por dentro y por fuera.

—Todo lo que has dicho en el último párrafo es verdad… Estamos algo contaminados por las tecnologías, y eso influye sobre nuestra salud.

Claro que influye, y mucho más de lo que creemos.

4. ALIMENTACIÓN NATURAL, SIN ADULTERAR

En las zonas azules sus habitantes llevan a cabo una alimentación basada en alimentos vegetales. El 90-95% de lo que comen es verduras, frutas, semillas, frutos secos, cereales de grano entero y legumbres. La principal fuente de energía la proporcionan los cereales integrales. Entre las legumbres, destacan los frijoles o alubias, pero también consumen mucha soja y lentejas.

Además:

- El 5-10% pueden consumir alimentos de origen animal, como carnes, lácteos o huevos. Eso sí, el origen de los animales es muy diferente al de nuestras sociedades. La proteína proviene de animales en libertad y alimentados con pasto (en vez de maíz y piensos), y que no han sido tratados con antibióticos y hormonas, lo que hace que su alimentación sea mucho más saludable.

- Sin lugar a dudas, predomina el agua por encima de las demás bebidas.

Todo ello es indicativo de una dieta sana, nutritiva y equilibrada, lejos de los hábitos nutricionales que tenemos en otros países. A estos habitantes nadie les ha recomendado una dieta ni les han hablado de contar calorías, raciones equilibradas, etc.; simplemente disfrutan de una gran variedad de alimentos nutritivos y dejan de comer cuando empiezan a sentirse saciados.

5. LA REGLA DEL 80% Y EL AYUNO

Restringir la ingesta de calorías y el ayuno intermitente son prácticas comunes en las zonas azules.

Los habitantes de Okinawa recitan un mantra de Confucio de 2.500 años de antigüedad antes de las comidas: *"hara hachi bu"*. Este mantra les recuerda que deben dejar de comer cuando sus estómagos estén llenos al 80%, lo que ayudará a prevenir el aumento de peso y el riesgo de enfermedades. El 20% de diferencia entre no tener hambre y sentirse lleno podría ser la diferencia entre perder o ganar peso.

Los habitantes de Ikaria practican el ayuno durante las fiestas religiosas en diferentes momentos del año. Se ha demostrado que el ayuno reduce el riesgo de enfermedades crónicas, entre ellas la hipertensión arterial, la obesidad y el colesterol.

6. REALIDAD ESPIRITUAL

La fe juega un papel importante en las vidas de las personas que viven en las zonas azules. Este sentido de pertenencia les proporciona apoyo social y les ayuda a prevenir depresiones y otras enfermedades mentales.

La mayoría de los centenarios de las zonas azules pertenecen a alguna comunidad basada en la fe, independientemente del tipo de fe de que se trate. La investigación demuestra que asistir una vez a la semana a servicios basados en la fe proporciona una mayor longevidad.

7. LA FAMILIA LO PRIMERO

En las zonas azules las familias se mantienen siempre cerca. Esto incluye a los padres ancianos y a los demás familiares, que permanecen en el hogar con otros miembros de la familia o viven cerca.

Tener abuelos y padres cercanos reduce las tasas de enfermedad y mortalidad de los niños del hogar.

8. ESTRUCTURA DE TRIBU

Estar rodeado de una tribu que promueva hábitos saludables resulta vital. Las personas más longevas del mundo se rodean de círculos sociales que respaldan conductas saludables. Ya sean grupos religiosos, grupos familiares o amistades, conectar con otras personas y cultivar relaciones positivas proporciona una mejor calidad de vida.

Los habitantes de Okinawa crean los *moai*, grupos de cinco amigos que se comprometen mutuamente a apoyarse entre sí de por vida. La soledad y el aislamiento recortan años de vida.

Conclusiones

Bueno, ya tienes en tus manos el manual secreto para llevar una vida plena, con calidad, bienestar y plenitud.

A continuación te muestro un gráfico resumen de las conclusiones basadas en la investigación científica de Buettner respecto a los hábitos que tienen en común las zonas azules.

Es interesante que te quedes con la idea de algunos de los hábitos de estos centenarios, ¿no crees? De todos modos, no estoy de acuerdo con algún hábito que se muestra en el estudio, como el de beber un vasito de vino tinto al día: no creo que se le deban atribuir beneficios al vino por muchos polifenoles que tenga la uva, ya que el alcohol siempre es alcohol y no hay ningún respaldo científico –sin conflictos de interés– que le atribuya beneficios reales. Eso no significa que por tomar una copa de vino al día vayas a perjudicar tu salud, pero tampoco la beneficias; tomar una copita de vino al día es un hábito neutro en sí mismo; no resta, pero tampoco suma.

MOVIMIENTO NATURAL
Haz actividad física diaria rodeado de medio ambiente

PROPÓSITO DE VIDA
Conoce tu propósito
Trabaja menos, ve más despacio, descansa

NUTRICIÓN INTELIGENTE
No des lugar a empacharte (al 80%)
Más verdura, menos carne, menos procesados

SOCIABILIDAD
Rodéate de gente saludable
Conecta con tu espíritu, con tu ser
Prioriza la familia

Para finalizar:

«EL ENVEJECIMIENTO SIGUE SIENDO UNO DE LOS ENIGMAS SIN RESOLVER DE LA VIDA».

ANTON, 2013

REFERENCIAS

Bethesda, M. (2006) *A Closer Look at Ayurvedic Medicine. Focus on Complementary and Alternative Medicine.* National Center for Complementary and Alternative Medicine, US National Institutes of Health, US National Institutes of Health, XII(4).

Caspersen, C. J., Powell, K. E., y Christenson, G. M. (1985). Physical activity, exercise, and physical fitness: definitions and distinctions for health-related research. *Public health reports* (Washington, D.C: 1974), 100(2), 126-31.

Diamanti-Kandarakis, E. Bourguignon, J. Giudice, L.C. Hauser, R. Prins, G.S. Soto, A.M. Zoeller, T. Gore, A.C. (2009). Endocrine-disrupting chemicals: an Endocrine Society scientific statement. *Endocr Rev.*, Jun 1;30(4): 293–342.

Gardner, B. (2014). A review and analysis of the use of 'habit' in understanding, predicting and influencing health-related behaviour. *Health psychology review,* 9(3), 277-95.

Gardner, B., Lally, P., y Wardle, J. (2012). Making health habitual: the psychology of 'habit-formation' and general practice. *The British journal of general practice : the journal of the Royal College of General Practitioners,* 62(605), 664-6.

Halden, RU. (2010) Plastics and health risks. *Annu Rev Public Health*, Apr;31(1):179–194.

Harris, L., Hamilton, S., Azevedo, L.B. (2018). Intermittent fasting interventions for treatment of overweight and obesity in adults: a systematic review and meta-analysis. *JBI Database System Rev Implement Rep,* 16(2):507-547. doi: 10.11124/JBIS-RIR-2016-003248.

Magnavita, N., y Garbarino, S. (2017). Sleep, Health and Wellness at Work: A Scoping Review. *International journal of environmental research and public health,* 14(11), 1347. doi:10.3390/ijerph14111347.

Naseem, M., Khiyani, M. F., Nauman, H., Zafar, M. S., Shah, A. H., y Khalil, H. S. (2017). Oil pulling and importance of traditional medicine in oral health maintenance. *International journal of health sciences,* 11(4), 65-70.

Operskalski, O. T., Paul, E. J., Colom, R., Barbey, A. K., Grafman, J. (2015). Lesion Mapping the Four-Factor Structure of Emotional Intelligence. *Front. Hum. Neurosci.* doi.org/10.3389/fnhum.2015.00649.

Rana, S., Kumar, S., Rathore, N., Padwad, Y., y Bhushana, S. (2016). Nutrigenomics and its Impact on Life Style Associated Metabolic Diseases. *Current genomics,* 17(3), 261-78.

Swift, D. L., Johannsen, N. M., Lavie, C. J., Earnest, C. P., y Church, T. S. (2013). The role of exercise and physical activity in weight loss and maintenance. *Progress in cardiovascular diseases,* 56(4), 441-7.